BOD YN BOSITIF AM DDEMENTIA

LLAWLYFR YN SEILIEDIG AR BROFIADAU BYWYD

I bawb sydd am wella bywydau'r rheini sydd â dementia

JOHN KILLICK

Y fersiwn Saesneg:

Cyhoeddwyd gyntaf ym Mhrydain 2013, argraffiad newydd 2014
Luath Press Ltd., 543/2 Castlehill, The Royal Mile, Caeredin EH1 2ND

Y fersiwn Cymraeg:

Cyhoeddwyd yn y Gymraeg gan Atebol Cyfyngedig, Adeiladau'r Fagwyr, Llanfihangel Genau'r Glyn, Aberystwyth, Ceredigion SY24 5AQ

Addaswyd gan Iwan Huws
Dyluniwyd gan Owain Hammonds

ISBN: 978-1-912261-82-6

Dymuna'r cyhoeddwr gydnabod cymorth ariannol Cyngor Llyfrau Cymru

www.atebol-siop.com

Mae *Bod yn Bositif am Ddementia* yn llwyddo i grisialu prif negeseuon gwaith blaenorol John a'u cyfleu mewn ffordd sy'n fwy agos atoch a chartrefol, felly mae'n llyfr addas a hwylus i bawb. Yn ogystal â rhannu ei wybodaeth a'i sgiliau sylweddol, mae hefyd yn trafod ei wendidau a'i brofiadau ei hun â'r darllenydd. O weld pa mor amlwg ac eglur trwy gydol y llyfr cyfan yw ei empathi, ei gariad, a'i barch tuag at y rhai sydd â dementia, yn ogystal â'r rhai sy'n eu cefnogi, gallwn ymddiried yn yr hyn sydd ganddo i'w ddweud.

Dyma lyfr sy'n mynd i'r afael â sawl testun tabŵ ac mae ei arddull eofn yn ein hybu i fod yn rhan o'r newid.

Er fy mod i'n sylweddoli nad gofalwyr proffesiynol yw prif gynulleidfa'r gyfrol, rwy'n grediniol y bydd *Bod yn Bositif am Ddementia* yn amhrisiadwy i sawl un yn y maes. Rwy'n rhagweld y bydd yn adnodd arbennig ar gyfer hyfforddiant ar draws sectorau ac rwy'n gobeithio ei ddefnyddio'n helaeth yn y dyfodol.

JANICE H. GALLOWAY,
Artist Dawns Cymunedol,
Celfyddydau a Lles,
Medi 2014.

CYNNWYS

CYDNABYDDIAETH

Diolchaf yn arbennig i Caroline Brown, Kate Grillet a Helen Finch am eu cyfraniadau yn ogystal â'u sylwadau am y llawysgrif yn gyffredinol. Cyflwynodd y tair ohonyn nhw eu cyfraniadau i mi yn arbennig ar gyfer y llyfr hwn. Unwaith eto, Kate Allan oedd fy meirniad llymaf a'r mwyaf gwerthfawr, felly. Iddi hi hefyd mae'r diolch am ffurf y llyfr, gan i mi ei fenthyg o'i hadnodd hyfforddi arloesol *Finding Your Way*. Nid yw hwn ar gael bellach, gwaetha'r modd. Rwy'n ddiolchgar hefyd i Cathy Greenblat am adael i mi ddefnyddio un o'i ffotograffau rhagorol ar gyfer y clawr: mae'n llwyddo i gyfleu cynnwys y llyfr yn berffaith.

Mi wnest bryd hynny yr hyn y gwyddet sut oedd ei wneud a phan oeddet yn gwybod yn well, fe wnest yn well.
MAYA ANGELOU

Rydym yn derbyn ac yn colli, a rhaid i ni ymdrechu i fod yn ddiolchgar; a gyda'r diolchgarwch hwnnw, cofleidio â chalon gyfan yr hyn o fywyd sy'n weddill ar ôl y golled.
ANDRE DUBUS

Preswyliaf mewn Posibilrwydd.
EMILY DICKINSON

CYFLWYNIAD

Rydych eisoes wedi darllen tri dyfyniad a ddewiswyd gen i am eu bod yn llwyddo i gyfleu neges y llyfr hwn, er ei bod yn annhebygol mai dementia oedd ar feddwl yr awduron wrth eu cyfansoddi.

Rwyf eisiau amlygu pa mor berthnasol ydyn nhw, nid yn unig i ddementia, ond i'r rhai ohonom sydd mewn rôl gefnogol hefyd. Maen nhw'n alwad i godi arfau, mewn ffordd drugarog yn hytrach nag yn rhyfelgar. Maen nhw'n cynnig rhywbeth yr hoffwn i ei alw'n 'her hydrin'.

Es i'r afael â'r her yma dros ugain mlynedd yn ôl ac mae'n un ddiddiwedd. Fesul tipyn, rwyf wedi dod i weld mwy a mwy o bobl yn dechrau cydnabod rhyw bortread o fywyd gyda dementia. Yn y llyfr hwn, rwyf am geisio cyfleu'r weledigaeth honno, yn ogystal â phrofiadau'r bobl hynny.

O ran fy hanes i fy hun, roeddwn i'n athro am ddeng mlynedd ar hugain ac yn awdur yn fy oriau hamdden. Penderfynais adael yr ystafell ddosbarth i roi cynnig ar fod yn awdur llawn-amser, ond nid dyna ddigwyddodd chwaith. Gan fod rhaid i mi ennill fy mara menyn, es i weithio fel awdur preswyl yn y gymuned, maes lle gallwn fod yn ddefnyddiol mewn ffordd wahanol i ysgrifennu fy straeon a'm cerddi fy hun. Yn gyntaf, bûm mewn carchar i ferched, yna mewn hosbis, ac yn ddiweddarach mewn cartrefi gofal. Dechreuais gyda hanesion bywyd trigolion hŷn, ac yna fe gwrddais am y tro cyntaf â rhywun â dementia.

Roeddwn yn gwybod o'r eiliad honno mai dyna'r maes roeddwn i'n awyddus i ganolbwyntio arno. Roedd angen dybryd am glywed lleisiau pobl, cofnodi eu geiriau'n ysgrifenedig a'u rhannu â nhw eto. Roedd yn ddull o gadarnhau eu bod yn parhau i fodoli, yn ffordd o'u cysuro fod eu geiriau yn parhau i fod yn bwysig.

Treuliais gryn amser yn ystyried y broses roeddwn i'n rhan ohoni a dechreuais wrando ar yr hyn a ddywedai eraill am y cyflwr, yn enwedig y rhai oedd â phrofiad ohono drwy deulu neu ffrindiau. Deuthum i ddeall fod rhyw agwedd ar y pwnc sy'n peri i gyfathrebu a pherthynas fod yn bwysig iawn ac roeddwn yn awyddus i rannu hyn ag eraill. Rwy'n credu bod hyn oll wedi arwain at y llyfr hwn.

Ni allaf ddweud llawer wrthych am glymau, na phlaciau, na chyffuriau – does gen i ddim cymwysterau i wneud hynny. Nid wy'n trafod deiet nac ymarfer corff – er eu bod yn strategaethau positif sy'n cyd-fynd â'r rhai rwy'n canolbwyntio arnyn nhw.

Rwy'n argyhoeddedig na wnaiff profiad un person, waeth pa mor gynhwysfawr, fyth lwyddo i gyfleu'r stori yn ei chyfanrwydd. O ganlyniad, mae deunaw o'r pedair pennod ar bymtheg yn y gyfrol yn cynnwys adran benodol ar gyfer geiriau'r rhai sydd â dementia, a'r rhai sy'n ymwneud â nhw – teulu a pherthnasau yn bennaf, ond rhai gweithwyr proffesiynol hefyd pan oeddwn yn credu y byddai eu dirnadaeth o gymorth i ni. Mae ffynonellau'r dyfyniadau i'w gweld ar ddiwedd y llyfr.

Ym Mhennod 1, rwy'n ystyried yr eirfa rydym yn ei defnyddio wrth drafod dementia. Mae'n bwysig iawn ein bod ni'n defnyddio'r geiriau cywir. Rwyf wedi dewis peidio â defnyddio'r term 'dementia' yn rhy aml, gall fod yn ailadroddus braidd. Felly, wrth gyfeirio at rywun sydd â dementia, byddaf yn defnyddio'r gair 'person' yn aml, neu 'y person/yr un/y sawl sydd â'r cyflwr' bob hyn a hyn. Rwyf hefyd wedi ceisio osgoi'r term 'gofalwr' gymaint â phosibl, gan ei fod yn ddi-ffael yn gosod y person sydd â dementia mewn safle dibynnol. Ar gyfer y rheini sydd agosaf at y person, yn ogystal â gweddill y teulu a chyfeillion, rwyf wedi penderfynu defnyddio'r term 'cefnogwyr' (cyfeirir atyn nhw fel 'prif ofalwyr' yn aml mewn llyfrau eraill). Nid wyf am gynnwys gofalwyr proffesiynol yma gan fod y berthynas honno ar sail wahanol, o raid. Wrth gwrs, nid yw hynny'n golygu nad yw cynnwys y llyfr yn berthnasol iddyn nhw, ond nid y nhw yw'r brif gynulleidfa rwyf yn anelu ati.

Rwy'n honni bod gen i weledigaeth o sut allai pethau fod – mae hynny'n wir, ond nid wyf yn bwriadu mentro'n rhy bell oddi wrth sut mae hi go iawn. Er hynny, gan fod cymaint o deimladau negyddol yn parhau i gymylu'r testun, nid wy'n awyddus i ychwanegu ato o gwbl. O ganlyniad, rwyf wedi anelu at fod yn galonnog pan mae'n bosibl a phan mae'n debyg bod modd cyfiawnhau hynny.

Nid wyf am i chi orffen darllen y cyflwyniad hwn yn disgwyl toreth o gynghorion awdurdodol gen i. Rwyf wedi dysgu digon i ddeall mai twyllo fyddai hynny. Ar y naill law, rydym yn trafod un o'r cyflyrau mwyaf cymhleth y gall unrhyw un ei wynebu, ac ar y llall, unigolion yn eu holl amrywiaeth. Dyma lyfr felly o awgrymiadau a phosibiliadau yn hytrach na phendantrwydd a sicrwydd. Os tybiwch chi fy mod i wedi mynd dros ben llestri, mae croeso i chi daro 'mysedd â'ch cansen ddychmygol!

Mae tipyn o waith eto i'w wneud o ran creu byd delfrydol ar gyfer dementia. Efallai mai byd lle nad yw'r term yn cael ei ddefnyddio o gwbl fyddai hwnnw. Ond o'r sefyllfa rydym ynddi ar y funud, rwy'n credu y gall pob un ohonom wneud gwahaniaeth, waeth pa mor fach, yn enwedig o gofio neges y dyfyniadau ar ddechrau'r llyfr. Y peth cyntaf i'w wneud yw rhoi'r gorau i 'frwydro' yn erbyn y cyflwr, er gwaethaf rhai arbenigwyr a sefydliadau sy'n ein hybu ni i wneud hynny. Yn hytrach dylem ddysgu cydweithio ag o (ond nid wy'n dweud y dylem ni roi'r gorau i frwydro dros y gwasanaethau rydym yn credu ein bod yn eu haeddu chwaith!). Rwy'n cyfeirio at y person a'r cefnogwr yn meithrin meddylfryd o dderbyn yn hytrach na gwrthsefyll. Dylai hynny fod yn gam mawr ymlaen. Rwy'n gobeithio y gallaf gynnig ambell ffordd wahanol o gyflawni hyn.

Pennod 1 **Grym geiriau**

Rhan Un

Gwelais fideo rywdro a oedd yn dangos cartrefi i grwpiau o bobl yn Japan. Neges gryfaf y fideo am y gofal a ddatblygwyd yno oedd bod y rheini sydd â dementia a'r rhai sy'n gofalu amdanyn nhw yn meithrin perthynas gyda'i gilydd. Disgrifiwyd nhw fel teulu, yn rhannu eu llwyddiannau, ac yn trafod eu perthynas â'i gilydd.

Ar gyfer cynulleidfa yn Japan y cafodd y ffilm ei chreu, ond fersiwn Saesneg ohoni a welais i. Yn y fersiwn honno, cyfeiriwyd at y trigolion fel 'preswylwyr' neu 'gyd-breswylwyr' a'r gofalwyr fel 'staff' neu 'staff proffesiynol'. Er gwaethaf neges gadarnhaol y ffilm, roedd y termau hynny, yn fy marn i, yn tanseilio'i hysbryd, a dechreuais feddwl o'r newydd am arwyddocâd y geiriau rydym yn eu defnyddio.

Mae'r iaith rydym ni'n ei defnyddio i drafod unrhyw bwnc yn hollbwysig. Mae'n adlewyrchu ein daliadau a'n credoau, ein dealltwriaeth a'n gwybodaeth. Gall dagu ein gallu i dderbyn syniadau newydd a mabwysiadu dulliau newydd o weithio yn y dyfodol. Fel hyn, gall iaith ein hatal rhag twf a dysg hanfodol. Gall wneud ein rhagfarnau'n waeth a'n cadw ni o fewn ein cyfyngiadau.

Rwy'n credu bod ein dulliau presennol o drafod dementia yn aml yn ein siomi. Os na lwyddwn i ddefnyddio'r geiriau cywir wrth ystyried y pwnc a'i drafod, ni allwn ni fyth ddeall y cyflwr hynod gymhleth hwn mewn modd defnyddiol a realistig. Gall hyn ymledu drwy'r holl system fel firws cyfrifiadurol, gan heintio pob ymdrech i feithrin perthynas dda â phobl.

Yn gyntaf, ym maes gofal proffesiynol rwy'n credu bod 'rheoli' yn hen air slei. Pan fydd pobl yno i'w 'rheoli', gall staff ddechrau fynd i arfer difeddwl o wneud pethau nad ydyn nhw bob amser o fudd, gan ddwyn grym oddi ar bobl. Fel cefnogwyr, dylem ofalu nad ydym yn syrthio i'r fagl hon.

A dyna'r gair 'dioddefwr'. Er ei bod hi'n berffaith amlwg fod pobl sydd â dementia yn dioddef i ryw raddau, mae cyfeirio atyn nhw fel 'dioddefwyr' yn wrthun gan ei fod yn rhoi blaenoriaeth i'r cyflwr, fel pe bai wedi llyncu hunaniaeth y person yn llwyr. O ran y term 'claf', mae hwnnw'n awgrymu meddygon ac ysbytai, gan hepgor rôl y gymdeithas yn llwyr. Nid ydym yn defnyddio'r term yma ar gyfer rhywun sydd â diabetes ac yn byw gartref, pam felly ei ddefnyddio i gyfeirio at rywun sydd â dementia ac mewn sefyllfa debyg?

Rwy'n awgrymu ein bod yn dechrau ystyried dementia yn anabledd, gyda'r oll mae hyn yn ei awgrymu o ran dod i delerau ag o ac agweddau cymdeithasol, yn hytrach na'i ystyried yn gyflwr meddygol yn unig gyda phwyslais ar driniaeth. Wrth wneud hyn, gallwn osgoi'r syniad mai cyflwr ei ymennydd sy'n achosi holl broblemau person. Rwy'n amheus o unrhyw gyfeiriad at ddementia fel 'salwch' neu 'afiechyd'. 'Cyflwr' sydd orau gen i – mae'n llai penodol ac yn fwy priodol o ran ein gwybodaeth am ddementia ar hyn o bryd.

Wrth gwrs, mae un term amlwg arall nad ydym wedi'i grybwyll hyd yma, sef 'clefyd Alzheimer'. Beth am olrhain ychydig o hanes y term a sut y magodd ei gysylltiadau presennol? Dyma grynodeb o safbwyntiau Mike Bender a Rik Cheston, seicolegwyr o Loegr, ac ambell sylw gan Peter Whitehouse, niwrolegydd o America.

Ganrif a rhagor yn ôl, pan gyfarfu Dr Alois Alzheimer â Frau Auguste D, dechreuodd chwilio am esboniad i'w hymddygiad anarferol. Wedyn, daeth Dr Alzheimer o dan ddylanwad seiciatrydd enwog a benderfynodd, ar sail yr un achos hwn, alw'r clefyd yn 'glefyd Alzheimer' a'i gynnwys mewn gwerslyfr roedd wrthi'n ei baratoi.

Ni chafodd y term fawr o sylw tan yr 1970au, pan grëwyd sawl sefydliad gwahanol, yn genedlaethol ac yn rhyngwladol. I ddenu nawdd ar gyfer gwaith ymchwil, roedd angen teitl bachog. Roedd 'clefyd Alzheimer' yn ateb y diben i'r dim. Felly ganwyd clefyd.

Wedyn, aeth y cwmnïau cyffuriau ati i fanteisio ar y clefyd gan wneud elw syfrdanol ohono. Mae wedi bod o fudd mawr iddyn nhw hyrwyddo'r achosion gwaethaf o'r cyflwr, oherwydd mae'n annog unigolion ofnus fel chi a fi i wario. Nid twyll yw'r cyfan, nage – mae rhywbeth yma sydd angen ei ddatrys mae hynny'n sicr. Ond mae hwn yn bwnc sy'n cael cyhoeddusrwydd a sylw enfawr ac mae'n hynod anodd i ni (fel unigolion ac fel cymdeithas) gael darlun cywir ohono.

Yn y bennod nesaf, rwy'n gobeithio egluro bod dementia yn gyflwr sy'n ymateb yn unigryw i'r ffordd rydym ni'n ei ystyried ac yn ystyried y bobl sydd â'r label hwnnw. Felly, does neb yn elwa o agwedd negyddol.

Ond pe byddem yn rhoi'r gorau i ddefnyddio'r term 'clefyd Alzheimer' ac yn defnyddio 'dementia' yn ei le, ni fyddem fawr gwell. Nid yw'r termau'n gyfystyr: mae 'dementia' yn cwmpasu 'clefyd Alzheimer' ond nid yw 'clefyd Alzheimer' yn ddisgrifiad o bob math ar 'ddementia'. Ond maen nhw bellach yn cael eu defnyddio fel pe baen nhw'n gyfystyr, ac felly mae'r term 'dementia' wedi cael holl gysylltiadau negyddol clefyd Alzheimer. Ystyr 'dementia' yw 'heb feddwl' – nid bod hynny o gysur i neb – ac nid yw'n term mwy cywir, mae hynny'n sicr. Yn wir, dylid cael gwared â'r naill derm a'r llall.

Tybed a oes unrhyw dermau eraill? Rwyf wedi holi'r arbenigwyr am awgrymiadau, ond heb lwyddiant hyd yma. Yn America, maen nhw'n ystyried defnyddio'r term 'prif anhwylder niwrowybyddol' (*major neurocognitive disorder*). Y term 'camweithredu niwrowybyddol gwasgaredig caffaeledig' (*acquired diffuse neurocognitive dysfunction*) sydd orau gan Julian Hughes, seiciatrydd o Brydain. Mae hwn yn gywirach ond yn anodd iawn ei gofio heb sôn am ei ynganu! Mae gwir angen gair newydd (tair sillaf ar y mwyaf, efallai?) sy'n llwyddo i gyfleu'r ystyr heb y stigma. Unrhyw awgrymiadau?

Rhan Dau Lleisiau eraill

Dyma rywun yn siarad yn un o fideos yr Alzheimer's Society:

> Mae grym mewn enwau – 'Alzheimer' er enghraifft; mae'n codi arswyd arnom ni; yn ein rheoli. Efallai, pan fyddwn ni'n fodlon ei drafod ar lafar, y byddwn yn llwyddo i reoli'r gair. Ni ddylai neb deimlo cywilydd o fod â'r cyflwr, ond mae pobl yn dal i deimlo cywilydd a does neb yn trafod y mater.

A dyma Richard Taylor, seicolegydd o America sydd â chlefyd Alzheimer, yn trafod y mater yn un o'i lyfrau:

> Mae rhai geiriau mor rymus am ein bod ni'n credu bod y maes y maen nhw'n eu disgrifio mor frawychus, mor warthus, mor gywilyddus, mor ffiaidd, nes ein bod ni'n credu pe na byddem yn defnyddio'r gair, na fyddem yn gorfod ystyried y maes. Yn yr achosion hyn, rydym eisoes wedi adnabod y symbol (y gair) yn ogystal â'r maes (ei ystyr). Rydym yn credu ein bod yn gallu rheoli'n hofn o'r maes drwy reoli ein ffordd o ddefnyddio'r gair...
>
> Eisteddwch a thrafodwch y maes gyda'ch gilydd yn gyntaf oll. Ni fyddwn yn elwa dim, er bod llawer yn y fantol, os bydd clywed y geiriau '*clefyd Alzheimer*' yn ein dychryn cymaint fel na chlywn air o'r hyn sy'n eu dilyn.

Cynigia Christine Bryden, dynes o Awstralia sydd â'r cyflwr, y rhybudd a ganlyn:

> Peidiwch â dweud ein bod ni'n 'ffwndro' – rydym yn dal i fod yn bobl ar wahân i'n salwch; mae gennym salwch ar yr ymennydd, dyna i gyd. Pe bai gennyf ganser, fyddech chi ddim yn fy nisgrifio i fel un sydd 'wedi cancro', fyddech chi?

Dywed Bob Fay, sydd â chlefyd Pick:

> Dyna derm anghyfeillgar yw 'dementia'. Yn dechnegol, mae'n debyg bod 'dementia' arna i ers rhyw ddeg mlynedd bellach. I mi, mae'r term yn awgrymu gwallgofrwydd – ac mae'r geiriaduron yn cytuno â mi. Synonymau 'dementia' yw

> lloerigrwydd, ynfydrwydd a gorffwylledd. Dydw i heb benderfynu ar derm gwell eto, ond fel arfer byddaf yn dweud fod gen i glefyd Pick neu afiechyd dirywiol ar yr ymennydd. Bob hyn a hyn, mi fydda i'n cyfeirio ataf fy hun fel 'Old Dementonian', ond yna bydd pobl yn meddwl 'mod i wedi cael addysg mewn ysgol fonedd!

Rwyf am orffen yr adran hon gyda geiriau Joanne Koenig Coste, cefnogwr sydd wedi adnabod gallu geiriau i wyrdroi a rhwystro:

> Dyma roi cynnig ar eirfa newydd, ac aralleirio ychydig:

Yn hytrach na 'crwydro'	beth am 'dilyn ei drwyn'?
yn lle 'anymataliaeth'	'diferion byrfyfyr'
'ymosodol'	'yn tynnu sylw at ei anghenion'
'chwilota'	'techneg dda ar gyfer sêl cist car'
'cynhyrfus'	'llawn bywyd'
'crynhoi pethau'	'casgliad o hoff bethau'
yn lle 'dementia'	'poeni dim am yfory'

Nodyn i gloi

Rwy'n gobeithio i mi'ch darbwyllo chi o bwysigrwydd y geiriau rydym yn eu defnyddio i ddisgrifio rhywbeth neu gyfeirio ato. Maen nhw'n dweud cymaint am ein hagwedd. Os ydym am drin y testun hwn yn gall, rhaid meddwl o ddifri am yr iaith a ddefnyddiwn ni, yn ogystal ag iaith pobl eraill, yn enwedig yr un gair hwnnw sydd ar glawr y llyfr hwn – 'dementia'. Wna i fyth anghofio geiriau Ian McQueen:

> Bob tro y bydd rhywun yn defnyddio'r gair, dwi'n meddwl eu bod nhw'n dweud 'Rho gic arall iddo!'

Pennod 2 **Sut beth yw dementia?**

Rhan Un

Rwyf am ddechrau'r bennod hon gyda phos gan y niwrolegydd Oliver Sacks. Rwy'n eich gwahodd i geisio'i ddatrys ac i feddwl amdano bob hyn a hyn wrth ddarllen y llyfr, i weld a fydd yr ystyr yn newid i chi:

> Mae gan Rywun Rywbeth –
>
> A wnaiff Rhywbeth orchfygu Rhywun?
>
> A wnaiff Rhywun ddod drwy'r Rhywbeth?
>
> Neu, a wnaiff y ddau uno mewn modd sy'n cofleidio ac yn goresgyn y Cyflwr?

Rwy'n credu bod dementia yn wahanol i gyflyrau eraill. Dyna sydd wrth wraidd y bennod hon, ac mae deall hyn yn allweddol os ydych am ddeall negeseuon gweddill y llyfr hwn. Er bod agweddau rhyngbersonol yn gysylltiedig â sawl afiechyd sydd ag elfen feddygol gref, ac er nad oes modd gwahanu effaith y meddwl ar y corff oddi wrth effaith y corff ar y meddwl, credaf fod dementia'n wahanol o ran pa mor arwyddocaol yw'r pethau hyn. Rwyf am roi cynnig ar egluro rhai o oblygiadau hynny yn ddiweddarach yn y llyfr. Wrth gwrs, o safbwynt meddygol, mae sawl math gwahanol o ddementia, gan gynnwys clefyd Alzheimer, syndrom Korsakoff a dementia fasgwlar, ond o ran cyfathrebu a pherthynas mae eu tebygrwydd yn fwy na'r gwahaniaeth rhyngddyn nhw.

Am gyfnod hir, y 'model meddygol' oedd fwyaf

dylanwadol. Lleihad ym maint yr ymennydd, placiau a chlymau oedd wrth wraidd popeth a byddai'r cyflwr yn cael ei drafod yn nhermau ei broblemau'n unig – problemau wrth resymu, gyda'r cof, wrth gyflawni tasgau ymarferol, synnwyr cyfeiriad, ynghyd â sawl effaith arall ar y corff.

Yn ddiweddar, darllenais ddiffiniad o'r cyflwr mewn gwerslyfr cynnar. Defnyddiwyd yr holl dermau a ganlyn: 'dirywiol', 'analluog', 'ymddatodiad', 'ar gyfeiliorn', 'afreolus', 'cythryblus', 'heb synnwyr cyfeiriad, 'atchweliad', 'clafychu' a 'diymadferth'.

Crynhowyd yr agwedd yma gan Tom Kitwood, seicolegydd amlycaf maes dementia, pan ddywedodd fod y model meddygol yn dweud 'person â DEMENTIA'. Roedd o'n dadlau y dylai'r pwyslais fod ar 'BERSON â dementia'. Roedd ei drafodaethau am y cyflwr yn canolbwyntio ar adnabod nifer o anghenion mae angen eu diwallu, gan gynnwys 'cysur', 'ymlyniad', 'hunaniaeth', 'cynhwysiant' a 'rhywbeth i'w wneud'.

Gwelwn yma ddwy agwedd gyferbyniol at ddementia, y naill yn negyddol a'r llall yn gadarnhaol. Trwy ganolbwyntio ar y negyddol rydym yn meithrin y ddelwedd frawychus honno sydd gan sawl un. Trwy ganolbwyntio ar y cadarnhaol rydym yn gosod sylfaen ar gyfer gobaith a chynnydd ymarferol.

Wrth gwrs, mae'r sefyllfa'n fwy cymhleth o lawer na hyn oherwydd bod dementia'n effeithio ar bawb mewn ffordd wahanol. O gofio bod pawb sydd heb ddementia yn unigryw, mae'n anochel y bydd y rhai sy'n dechrau datblygu nodweddion y cyflwr yn gwneud hynny mewn ffyrdd gwahanol ac ar adegau gwahanol i'w gilydd. Cyn cael dementia, mae pob unigolyn yn ffrwyth ei nodweddion personol a'i brofiadau bywyd, a bydd hynny wrth gwrs yn effeithio ar ddatblygiad y cyflwr. Felly, mae'n anodd iawn rhagweld i ba gyfeiriad y bydd y cyflwr yn datblygu ac mae'r 'cyfnodau' yn colli eu hystyr yn llwyr. Y 'cyfnodau' yw dulliau'r arbenigwyr o ddosbarthu agweddau ar ddatblygiad y cyflwr, gan nodi pa nodweddion sy'n debygol o ymddangos pa bryd. Mae sawl cefnogwr wedi sôn am ddigwyddiadau annisgwyl ym mywydau eu hanwyliaid, digwyddiadau sy'n ddigon i'ch syfrdanu ar brydiau. Fe welais innau hynny yn yr achos a ganlyn.

Wrth ymweld â chartref gofal un tro, dywedodd y rheolwr wrthyf i, 'Does dim pwynt i chi siarad â Mabel – mae hi yn ei byd bach ei hun heddiw'. Felly es i siarad ychydig â'r trigolion eraill, nes i Mabel ddod ata i ychydig yn nes ymlaen. 'Ga i ofyn rhywbeth?' gofynnodd.

'Wrth gwrs,' atebais.

'A oes eiliad, rhwng geni a marw pan fydd un yn dod yn bwysicach na'r llall?'

Bu tawelwch am hir wedyn. 'Mae'n ddrwg gen i Mabel, alla i ddim ateb y cwestiwn, mae'n rhy ddwys.'

'Paid â phoeni. Roeddwn am i ti wybod 'mod i'n meddwl am hynny, dyna'r cwbl,' meddai. Pan ddychwelais at reolwr y cartref, dywedais yr hanes wrthi, gan ychwanegu, 'Os yw Mabel yn ei byd bach ei hun, fe hoffwn i fod yno hefyd!'

Wrth gwrs, mae nifer o bobl wedi nodi problemau anodd ymdopi â nhw, yn bobl â dementia ac yn gefnogwyr. Mae'r rhain yn cynnwys: mynd ar goll mewn mannau cyfarwydd; bod yn haerllug gydag eraill neu ysfa i osgoi cymdeithasu; treulio cyfnodau hir yn chwilio am eitemau neu roi trefn arnyn nhw; methu cysgu; a gwlychu neu faeddu. Ni ddylid cuddio'r ffaith fod y rhain yn bethau amhleserus.

Rwyf wedi rhoi amlinelliad o'r cyflwr, gan gyfeirio at rai o'r heriau y mae'n eu cynnig – o ran ei ddeall yn ogystal â helpu eraill i fyw gydag ef. Ond efallai nad yw maint yr her a wynebir yn gwbl amlwg eto i'r rhai sy'n gofalu am rywun â dementia. Mae natur ryngbersonol sylweddol y cyflwr yn golygu bod dyletswydd hollbwysig arnom i roi cymorth i bobl addasu i'w hamgylchiadau, ond mae hefyd yn golygu **ein bod ni hefyd yn helpu i greu amgylchiadau lle gall dementia ffynnu.** Mae cyfrifoldeb enfawr ar y rhai sy'n ymwneud â pherson â dementia i osgoi gwaethygu'r sefyllfa. Mae'n ddigon posib bod sylweddoli hynny'n dipyn o sioc, ond mae hi'n sioc mae'n rhaid ei theimlo os ydym am symud ymlaen o ddifrif.

Ond sut allwn ni fod yn gyfrifol am waethygu'r cyflwr? Mae Tom Kitwood wedi llunio ateb i'r cwestiwn hwn gyda chyfres o enghreifftiau mae'n eu galw'n 'seicoleg gymdeithasol falaen' (*malignant social psychology*). Wrth ddefnyddio'r term, nid yw'n awgrymu cam-drin yn fwriadol, ond yn hytrach yn ddiarwybod am nad ydym yn sylweddoli effaith yr hyn a wnawn. Aiff ymlaen i restru 17 gweithred o'r fath, gan gynnwys:

Brad: twyllo'r person i'w gael i wneud yr hyn rydych chi'n dymuno iddo'i wneud

Dadrymuso: peidio â chaniatáu i berson gyflawni tasg y gallai ei gwneud ei hun

Plentyneiddio: trin oedolyn fel plentyn ifanc

Anwybyddu: trafod person yn ei ŵydd, fel pe na bai yno o gwbl

Ennill y blaen: symud neu siarad yn rhy gyflym, fel na all y person eich dilyn

Gwatwar: gwneud hwyl am ben anallu rhywun

Gwrthrycholi: trin person fel rhywbeth dideimlad

Bychanu: dweud wrth rywun ei fod yn ddiwerth a niweidio ei hunan-barch

Byddwn yn trafod rhai o'r syniadau hyn yn ddiweddarach yn y llyfr.

Mae hi bron yn amhosibl darllen llyfr sy'n trin dementia heb weld yr ymadrodd 'ymddygiad heriol'. Yr hyn a olygir yma ran amlaf yw bod pobl yn ein herio ni o bryd i'w gilydd gyda'u hymddygiad a'u geiriau. Rhaid i ni ddeall nad ydyn nhw'n gwneud hyn o ddewis ac nad ydyn nhw fel arfer ond yn ymateb i'n triniaeth annigonol (falaen) ni ohonyn nhw. Gall derbyn hynny fod yn anodd iawn.

Llwyddodd Joanne Koenig Coste i grynhoi'r cysyniad yma:

> Nid clefyd Alzheimer sy'n erydu urddas person, ond ymateb craill iddo.

Ar nodyn cadarnhaol, cynigiodd Kitwood y cysyniad o 'bersonoldeb' – hynny yw, y syniad y dylem oll anelu'n geiriau a'n gweithredoedd at geisio atgyfnerthu hunaniaeth person. Awgrymodd hefyd, pe byddem yn llwyddo i wneud y peth iawn dro ar ôl tro, fod modd dychmygu sefyllfa lle gallai'r cyflwr gilio. Bathodd y term 'rementia' ar gyfer hyn – syniad amhosibl, efallai, ond un y dylem oll ymdrechu i'w wireddu er hynny.

Ac i barhau â'r nodyn cadarnhaol, os gallwn gydio yn y syniad y dylem wneud ein gorau glas i ddeall, i fod yn amyneddgar, ac i ddatblygu ein gallu i garu a dangos empathi, ni all neb ddisgwyl dim mwy na hynny gennym. Ac er gwaetha'r trafferthion, fe gawn ein gwobrwyo hefyd. Yn ei lyfr *I'm Still Here*, rhoddodd John Zeisel bennod gyfan i drafod yr hyn mae'n eu galw'n 'Rhoddion Alzheimer'. Ymhlith y 39 rhodd sy'n cael eu henwi ganddo, mae'r canlynol:

Diffuantrwydd emosiynol
Synnwyr digrifwch
Mwynhau'r ennyd
Gweld eraill am yr hyn ydyn nhw mewn gwirionedd
Derbyn y sefyllfa fel y mae
Dirnadaeth well
Gwybod bod fy ngwaith i'n waith 'da'

Byddwn yn gweld rhai o'r rhain hefyd yn y penodau nesaf.

Rhan Dau Lleisiau eraill

Mae'r safbwyntiau a'r syniadau y gallwn eu trafod yma yn eang ac rwyf wedi penderfynu defnyddio dau ddarn i'w cynrychioli. Daw'r cyntaf gan Richard Taylor, a gyflwynwyd eisoes ym Mhennod 1, a'r llall gan gefnogwr.

Mae'r ddau'n trafod eu safbwyntiau eu hunain yn huawdl. Dyma gofnod Richard o'i brofiad gyda chlefyd Alzheimer:

> Ar hyn o bryd mae'n teimlo fel petawn i'n eistedd ym mharlwr fy nain, yn gwylio'r byd trwy ei llenni les.
>
> O bryd i'w gilydd, daw awel ysgafn trwy'r ffenestr, gan newid y patrwm sydd rhyngof i a'r byd. Mae clymau mawr yn y llenni – rwy'n methu gweld drwy'r rheini. Mae gwe o les yn cysylltu'r clymau ac rwy'n gallu gweld heibio'r rheini weithiau. Ond, mae'r holl batrwm yn symud yn ddirybudd gyda'r gwynt.
>
> Weithiau, rwy'n gweld yn glir ac mae fy nghof yn glir. Ar adegau eraill rwy'n colli'r cysylltiad er bod yr atgofion yn dal i fod yno, a dro arall does gen i ddim syniad beth sydd y tu hwnt i'r clymau. Wrth i'r gwynt chwythu, rwy'n teimlo rhwystredigaeth o geisio deall popeth sy'n digwydd o 'nghwmpas i, oherwydd bod fy ngallu i weld pethau a'u deall yn mynd a dod, yn cynnau ac yn diffodd, drwy'r adeg.

I ddangos safbwynt gwahanol, dyma eiriau Caroline Brown, sydd â dau riant â dementia.

> Mae'n teimlo fel 'mod i wedi bod yn cysgu ers chwe blynedd. Roedd newid o fod yn ferch i fod yn fam i fod yn ofalwr fy rhieni yn anodd. Newid a fu, rhaid cyfaddef, yn ormod o faich ar brydiau. Creais fantell o ddiffyg teimlad a methais ei diosg wedyn. Methu, hynny yw, nes i mi ddeffro. Ces gymaint o glec o sylweddoli cymaint roeddwn i wedi'i golli, nes chwalwyd y fantell yn filiynau o ddarnau mân.
>
> Rwy'n gwbl effro bellach ac yn gweld y dewisiadau sydd o 'mlaen i: cael fy llethu gan alar clefyd Alzheimer sydd, fesul tipyn, yn cipio hanfod fy mam ond yn datblygu'n gryfder a balchder na all pad gwlyb eu herydu.
>
> Rwy'n dewis caru a chael fy ngharu, gan wybod y bydd ei chyflwr hi yn fy sbarduno i newid meddwl y rhai na all amgyffred fy sefyllfa, i wella ymwybyddiaeth mewn ffordd mor gynnil ag y gallaf, gan nad oes neb yn clywed pan fydda i'n gweiddi.

Ond eto, pan fydda i'n adrodd ei hanes hi, yn dweud pwy yw hi, a'r oll mae hi wedi'i wneud i mi, bydd sawl un yn clywed, sawl un sy'n adnabod y teimlad o gydio'n ofer yn yr hyn a fu ond na ddaw fyth yn ôl... a gall y dyfodol fod yn well nag unrhyw beth a fu yn y gorffennol, os dewiswn ni hynny.

Mae ego, personoliaeth, nerth, a rheolaeth yn mynd law yn llaw â'r natur ddynol.

Ildiodd hi hynny oll i greu lle i'r hyn sydd gennym ni rŵan.

Gwyleidd-dra, ysbrydolrwydd, a derbyniad llwyr sydd yn ein byd newydd ni. Does dim dewis ond teimlo'r wefr.

Rwy'n dewis deffro i dderbyn yr hyn sydd gen i rŵan yn hytrach na'r pethau na chaf i byth eto. Mae'r pethau hynny'n perthyn i'r gorffennol.

Rwyf eisiau byw a bod yn effro yn yr ennyd hon.

Diolch am gael bod yn effro – rwyf yma o'r diwedd!

Nodyn i gloi

Heb i ni ddeall bod dementia yn gyflwr rhyngbersonol yn ogystal ag yn un meddygol, ni ddeallwn fyth fod gennym gyfle euraidd i ddefnyddio safon ein gofal i ddylanwadu ar ei ddatblygiad. Os llwyddwn ni i gyflawni'r amcan hwn, byddwn yn rhoi profiadau da i'r person ac i ni'n hunain hefyd.

Descartes, yr athronydd enwog, a fathodd yr ymadrodd 'rwy'n meddwl, felly rwy'n bodoli'. Mae Stephen Post, y moesegwr Americanaidd, wedi awgrymu ei newid fel a ganlyn ar gyfer pobl sydd â'r cyflwr:

'Rwy'n teimlo ac yn ymdeimlo ag eraill, felly rwy'n bodoli.'

Pennod 3 **Dymchwel muriau ofn**

Rhan Un

Pan fyddwn yn cyfarfod am y tro cyntaf â pherson sydd â dementia, neu'n dechrau gweld nodweddion y cyflwr yn rhywun sy'n annwyl i ni, bydd pob un ohonom yn ofnus. Gall yr ofn fod ar sawl ffurf:

- Ofn yr anhysbys, pan fyddwn ni'n gorfod wynebu sefyllfaoedd neu nodweddion anghyfarwydd
- Ofn y bydd rhywun arall yn ein niweidio yn gorfforol ac/ neu yn emosiynol
- Ofn diffyg grym: ofn na fydd ein hymdrechion yn ddigon, y byddwn yn methu cyflawni'r dasg sydd o'n blaenau
- Ofn y bydd yr hyn sy'n digwydd i'r person yn digwydd i ni

Efallai na fyddwn yn gwbl ymwybodol o darddiad yr ofnau hyn – fe allen nhw fod yn gymysgedd o'r rhain yn ogystal â phryderon eraill. Ac er na allwn, o reidrwydd, liniaru'r ofnau hyn yn gyfan gwbl, gallwn ddefnyddio strategaethau i ddygymod â nhw i ryw raddau. Ond mae un peth yn sicr: os na fyddwn yn llwyddo i drechu'r ofnau hyn, byddan nhw'n cyfyngu ar ein holl ymdrechion i helpu'r person neu i gysylltu ag o mewn ffordd ystyrlon.

Yn gyntaf oll, ac yn bwysicaf oll, gall cynefino leddfu gorbryder – mae hynny'n sicr. Ni allwn fyth gymryd dementia yn ganiataol, ond gall ei ddieithrwch bylu gydag amser.

Mae'n gwbl naturiol i ni ofni rhywun sy'n ymddwyn yn wahanol i ni'n hunain. Os na allwn ni ddeall y rhesymau dros ei ymddygiad, gall fod yn anodd dangos empathi tuag ato. Mae'n herio'r cysyniad bod y byd yn troi o gwmpas rheolau pendant, gan greu byd sy'n annealladwy a gelyniaethus. Dyma'r rheswm, 'does bosib, dros y stigma ynglŷn â'r cyflwr, sefyllfa sy'n cael ei gwaethygu gan ein ffordd ni o drafod y cyflwr a'r ffordd mae'r cyfryngau'n manteisio arno. Mae'n bwysig i ni adnabod nad ni yn unig sy'n cael ein herio, ond yr un sydd â'r cyflwr hefyd. Bydd ei ymdrech i geisio deall ei gyflwr yn achosi llawer mwy o wewyr na'n hymdrech ni i'w ddeall.

Cefais fy nghyflwyno i ddementia yn ddigon disymwth. Ces fy hebrwng i uned ac ynddi 30 o bobl â'r cyflwr, ces fy siarsio na fyddwn i'n cael ymateb ganddyn nhw a chlowyd y drws ar fy ôl. Nid oeddwn i'n gwybod dim byd am y pwnc ac nid oeddwn i erioed wedi cyfarfod â neb â dementia. Methais wneud pen na chynffon o'r sefyllfa ar y dechrau: pam oedd y bobl hyn yn ymddwyn fel hyn a sut fyddwn i fyth yn deall yr hyn roedden nhw'n ei ddweud? Ond ar ôl i mi dreulio mwy o amser yno, cefais fwy o hyder. Erbyn diwedd yr wythnos roeddwn yn sylweddoli bod pawb yno yn unigolyn cyfeillgar ac unigryw. Soniodd y seicolegydd Tom Kitwood am weld y person yn hytrach na'r clefyd; roeddwn i wedi deall hynny ymhell cyn i mi ei glywed yn ei ddweud.

Mae'r ofn o gael niwed yn lleihau gyda'r cynnydd yn nifer yr achlysuron pan nad oes dim byd wedi digwydd. Rwyf wedi cyfarfod â channoedd o bobl trwy fy ngwaith mewn sawl lleoliad gwahanol (canolfannau dydd, cartrefi gofal, wardiau ysbytai ac yn eu cartrefi), a'r rheini'n bobl â graddfeydd gwahanol o anawsterau cyfathrebu. Er i ambell gyfarfyddiad fy ngofidio, rwy'n credu i'r rhan helaeth ohonyn nhw gyfoethogi fy mywyd.

Ond rhaid cyfaddef, ar ôl pum mlynedd o gwrdd un i un â phobl â dementia, fesul tipyn aeth yn dreth arna i'n emosiynol. Un dydd, roeddwn i'n methu mentro drwy ddrws y ganolfan. Es i weld cynghorwr. Roeddwn yn meddwl 'mod i ar chwâl, roedd hi o'r farn 'mod i wedi goresgyn rhwystr. Disgrifiodd fy mhrofiadau fel 'cwrs brys mewn datblygiad ysbrydol'. O gwrdd â chymaint o bobl oedd yn cael trafferth dygymod â newidiadau anochel, ces innau fy newid hefyd: roedd fy emosiynau'n nes at yr wyneb ac roedd hynny'n rhywbeth i'w ystyried yn ofalus wrth gynllunio gwaith. Dechreuais bwyllo a neilltuo rhagor o amser i feddwl. Rwy'n credu bod hyn yn berthnasol i bawb: mae neilltuo amser i gael seibiant yn egwyddor bwysig.

O'r holl ofnau, mae'n debyg mai ofn methiant yw'r mwyaf tebygol o ddod yn wir: nid oes modd i unigolyn ddod o hyd i atebion perffaith i'r holl gwestiynau sy'n codi o ran cyfathrebu ac o ran perthynas. Y gorau y gallech ei ddisgwyl yw cynnydd yn eich hyder a'ch bod yn fwy llwyddiannus, hynny yw, os oes modd mesur llwyddiant. Mae angen bod yn wylaidd a pheidio â bod yn rhy uchelgeisiol i ddechrau. Wrth wneud hynny, cewch nerth o'r adegau arbennig pan fydd rhywbeth arbennig yn digwydd, ac, ydi, mae'n siŵr o ddigwydd.

Yn olaf, efallai y bydd dementia yn ein taro ni ryw dro. Trwy ganolbwyntio ar yr agweddau cadarnhaol, gallwn ddileu ambell ran o'r darlun llwm mae pobl eraill a'r cyfryngau yn ei greu. Yn hytrach na cheisio mygu'r ofn, mae'n well ei wynebu. Un o'r pethau gorau y gallwn ni ei wneud yw ystyried sut fyddem ni'n hoffi i eraill ein trin pe baem ni'n datblygu'r cyflwr; yn benodol, yr hyn yr hoffem i gefnogwyr ei wybod am ein hoff bethau a'n cas bethau, rhag ofn na fyddwn yn gallu eu helpu yn y dyfodol. Byddwch yn barod, chwedl y sgowtiaid!

Mae Pennod 19 yn ymgais i hwyluso'r broses a ddisgrifir yn y paragraff diwethaf.

Rhan Dau Lleisiau eraill

Mae Deborah Everett, a fu'n gweithio fel caplan mewn ysbyty yng Nghanada, yn cynnig y cyngor hwn:

> Mae'r teimlad o ddiffyg grym, teimlad a allai godi wrth ofalu am rywun sydd â dementia, yn gysylltiedig ag anallu'r sawl sy'n gofalu i werthfawrogi unrhyw ddulliau o gyfathrebu heblaw am eiriau... Pan na fyddwn yn gweld ystyr, mae ein hymroddiad yn pylu. O ildio i ddirgelion y dyfodol, rydym yn cyfaddef y gallai dioddefaint ddigwydd. I gynnig gofal gwirioneddol i'r rhai a effeithir gan ddementia, mae'n rhaid i ni ddymchwel muriau ofn.

Dyma ran gyntaf stori gan Laura Beck, sy'n bartner gofal yn Ithaca, Efrog Newydd. Mae'r stori wedi'i gosod mewn cartref gofal yn America. Bu ei thad yn y fyddin ac roedd yn ddyn ffurfiol a llym drwy gydol ei oes.

> Un diwrnod, es i ymweld â fy nhad. Roedd ei glefyd Alzheimer wedi gwaethygu cymaint, nid fy enw yn unig oedd yn angof bellach. Doedd o ddim yn siarad nac yn cerdded

erbyn hynny. Yn hytrach, roedd wedi creu ei iaith unigryw ei hun, iaith o bob math o synau, iaith i'w gweiddi nerth esgyrn ei ben.

Pan gyrhaeddais y bore hwnnw, roedd o'n hepian yn ei ystafell ar ôl cael bath. Deffrodd yn sydyn, ei lygaid a'i wallt yn wyllt, a dechrau morio canu synau nonsens. Roedd hynny'n ormod i mi, ceisiodd fy ymennydd wrthod yr hyn oedd o'm blaen.

Nid fy nhad i oedd hwn... roeddwn i eisiau fy nhad yn ôl.

Es o'r ystafell, wedi fy llethu. Roeddwn eisiau troi ar fy sawdl a mynd, ond ces fy rhwystro gan rywbeth. Ceisiais ddeall beth oedd yn codi ofn arna i. Roedd yr ateb yn amlwg – ofni roeddwn i y byddai hyn yn digwydd i minnau hefyd. Ar ôl i mi adnabod fy ofn, roeddwn yn teimlo y byddwn, efallai, a dim ond efallai, yn gallu dygymod ag o...

Mae ail ran y stori'n parhau yn adran 'Lleisiau eraill' Pennod 17.

Kate Grillet sydd nesaf, yn trafod yr ymatebion a gafodd hi â'i gŵr Christophe:

Ofn yw'r unig beth a all esbonio cariad a chyfeillgarwch pobl eraill yn cilio. Bydd yn rhaid i mi ofyn i'm ffrindiau a'm teulu i geisio esbonio hynny ryw ddydd. Bydden nhw'n sôn ei fod 'wedi mynd ers tro' ac yntau'n dal i fod yno, neu'n dweud na fyddai'n gweld y gwahaniaeth rhwng y cartref gofal a'i gartref ei hun, neu na fyddai'n fy adnabod i na neb arall, felly doedd dim ots pwy oedd yno gydag o. Roedd clywed hynny yn peri gofid i mi (ac mae'n dal i wneud). 'Fyddwch chi ddim yn treulio 3–4 awr y diwrnod gyda'ch partner?' holais. Doedden nhw ddim yn deall.

Yn ei lyfr enwog, *The Prophet*, mae Kahlil Gibran yn cynnig y disgrifiad a ganlyn o'r broses mae'n rhaid i ni ei chyflawni wrth gynnig cefnogaeth:

Dy boen yw'r hollt yn y gragen sydd o amgylch dy ddealltwriaeth.

Yn yr un modd ag y mae carreg y ffrwyth yn gorfod hollti, er mwyn dangos ei galon i lygad yr haul, rhaid i tithau hefyd adnabod poen.

Ac os gall dy galon barhau i ryfeddu at wyrthiau beunyddiol bywyd, ni fydd dy boen yn llai rhyfeddol na'th lawenydd.

Nodyn i gloi

Gall ofn ymddangos ar sawl ffurf a rhaid i ni ymdrechu i orchfygu pob un os ydym yn mynd i gysylltu â pherson o ddifrif. Rhaid i ni helpu eraill i orchfygu eu hofnau eu hunain, yn ogystal â delio â'n hofnau ni. Rhaid i ni ddatblygu'r arfer o wrando'n astud ar yr hyn y maen nhw'n ei ddweud. Dyma ychydig eiriau ynghylch y mater gan rywun sydd â'r cyflwr:

Rwy'n ofnus.

Rwy'n ofni cael fy nal mewn llif.

Rwyf am ofyn cwestiwn i ti rŵan:

A fyddet ti'n hoffi byw fel hyn?

Pennod 4 **Ymwybyddiaeth**

Rhan Un

'A wnei di roi fy mhersonoliaeth yn ôl i mi?' – dyna ofynnodd dynes â dementia i mi ryw ddiwrnod. Cais amhosibl ei gyflawni, wrth gwrs. Ni all neb gynnig rhywbeth mor enfawr i rywun arall. Ces fy rhoi hefyd mewn picil braidd gan y cwestiwn, gan fy mod i wedi dod i adnabod hon yn eithaf da ac roedd hi'n rhoi'r argraff ei bod hi'n ddynes feiddgar a chanddi farn gadarn.

Daeth yr un ddynes ataf dro arall i ofyn: 'Beth yw'r lwmp o fater hwn os nad oes modd gwneud na phen na chynffon ohono?' Galwad am gymorth oedd y cwestiwn cyntaf. Roedd yr ail yn codi sawl cwestiwn sylfaenol am y cyflwr: sut all rhywun ddygymod pan fydd y newidiadau yn ei fywyd yn peri iddo amau ei allu ei hun i fyw? Sut allwn ni ei helpu i fyw bywyd cytbwys? O gofio pa mor fregus rydym ni fel pobl, sut ddylem ni drin y gorbryder sy'n codi pan fyddwn ni'n wynebu cyflwr fel hwn?

Mae nifer o'r rhai rwyf wedi gweithio gyda nhw wedi wynebu sefyllfaoedd o'r fath, ond heb fod mor amlwg â'r achos hwn. Maen nhw'n enghreifftiau o ddirnadaeth pobl â dementia. Ar un adeg, nid oeddem yn credu bod gan bobl â dementia ymwybyddiaeth o'r math hwn, ond erbyn hyn, gwyddom yn wahanol.

Mae'n ddigon posibl fod ymwybyddiaeth yn mynd a dod. Wrth i'r gallu i siarad ddirywio, mae'n fwyfwy anodd i bobl ein gadael ni i mewn i'w bydoedd mewnol nhw i weld sut maen nhw'n gweld ein byd ni. Efallai fod eu hymwybyddiaeth yn rhywbeth mwy cyson nag y tybiwn, felly. Wrth gwrs, byddai'n fwy hwylus i ni gefnogwyr dybio nad oes gan rywun ymwybyddiaeth, oherwydd byddai hynny'n ysgafnhau'r baich o geisio deall ei anghenion seicolegol ac ymateb iddyn nhw.

Mae'r goblygiadau ar gyfer cyfathrebu yn amlwg: mae'n hanfodol rhoi digon o gyfle'n rheolaidd i bobl sgwrsio ac i ddiosg eu beichiau. Lawer gwaith ar ôl dyfalbarhau, rwyf wedi cael fy ngwobrwyo gan sylwadau sy'n amlwg yn ffrwyth teimladau dwys neu sy'n awgrymu dyfnder meddyliau:

> Mae fy meddwl, fy holl fywyd yn llawn. Roeddwn yn hoff iawn o 'mywyd i. Rwy'n tybio 'mod i'n ei adael fwy a mwy bob dydd. O diar, dydi o ddim yn deg pan fo'ch calon eisiau cofio go iawn!

A dyma eiriau rhywun arall wrth i ni nesáu at ddiwedd sgwrs hir a phersonol eithriadol:

> Dwi wedi blino, ond dwi ddim eisiau cysgu am 'mod i'n ffynnu!

Rwyf am gloi'r rhan hon drwy drafod rhan ymwybyddiaeth pan fydd diagnosis o ddementia yn cael ei roi. Os meddyliwn ni am ddementia fel sbectrwm, mae'r diagnosis yn ddigwyddiad o bwys a all effeithio'n annisgwyl ar yr unigolyn. Rwyf wedi sgwrsio â nifer o bobl gan drafod sut gawson nhw ddiagnosis. Bu rhai'n ymdrechu'n galed i gael diagnosis ac roedd yn rhyw fath gysur iddyn nhw, gan ei fod yn cadarnhau'r hyn roedden nhw wedi'i ddisgwyl. I eraill, roedd yn sioc a daeth iselder mawr yn ei sgil. Gwrthododd eraill dderbyn y newydd, gan wadu'r canlyniadau am gyfnod. Dywedodd rhai y byddai'n well ganddyn nhw beidio â gwybod, gan fod ymateb eraill yn gallu effeithio'n andwyol ar eu bywydau.

Daw'n amlwg fod y dull o roi'r diagnosis yn hollbwysig. Mewn un achos eithafol, cafodd y diagnosis ei gyflwyno mewn gosodiad moel i'r cefnogwr yn hytrach nag yn uniongyrchol i'r unigolyn. Aeth y ddau adref wedi'u syfrdanu a mynd ati i chwilio am wybodaeth ar y we. Roedd y wybodaeth feddygol yno'n ddigon i'w dychryn. Mae'n amlwg nad oedd y meddyg wedi ystyried rhan ymwybyddiaeth yn y broses hon.

Dywedodd eraill fod y diagnosis wedi'u gwneud yn fwy penderfynol i ddechrau cynllunio gweddill eu bywydau. Efallai fod hynny'n ganlyniad y ffordd y cafodd y diagnosis ei fynegi, neu fod y person a'i gefnogwr eisoes yn teimlo'n hyderus yn eu gallu i ymdopi â'r canlyniad. Aeth sawl un ati i lenwi'r misoedd a'r blynyddoedd a ddilynodd ag amrywiaeth o weithgareddau – y math o bethau y byddai rhywun yn breuddwydio am eu gwneud ond byth yn mentro. Rhywbeth arall a welwyd oedd bod pobl yn dechrau gwneud trefniadau ar gyfer y cyfnod pan na fydden nhw'n gallu ymdopi â rhai o ofynion bywyd – strategaethau synhwyrol ar gyfer y dyfodol, mewn geiriau eraill.

Yr hyn sy'n gyffredin i bob stori a glywais oedd y safbwynt y dylai system o gymorth i helpu pobl i ymdopi â'r canlyniad ddilyn pob diagnosis. Ac wrth gwrs, mae ffrindiau a theulu yn rhan o'r system honno, y rhan bwysicaf o bosibl. Rhaid wrth ein holl gariad a nerth i gynnig cefnogaeth o safon ac i gynnal y safon honno. Gallwn ninnau yn ein tro gael ein cysuro gan adroddiadau personol o'r cyfleoedd y gall y cyflwr ei gynnig, adroddiadau sy'n dod yn fwy niferus bob dydd. Mae rhai o'r rhain i'w gweld yn y llyfr hwn.

Rhan Dau Lleisiau eraill

Dyma enghraifft o fynegi ymwybyddiaeth yn ddoniol. Daw o lyfr Kim Zabbia am ei mam:

> Gwyrodd Mam at ei hwyres a dweud yn ddireidus, 'Paid â gwrando ar dy fam, hi yw'r un lloerig, nid y fi. Beth wyt ti'n chwarae?'
>
> 'Dwi'n ceisio chwarae *solitaire*,' atebodd Kate, 'ond dwi'n methu. Dim ond pum deg cerdyn sydd yma. Does gen i ddim pecyn llawn.'
>
> 'Paid â phoeni, cariad,' gwenodd Mam. 'Does gen i ddim chwaith.'

Mae'r darn nesaf yn awgrymu bod ambell ddirnadaeth yn mynd y tu hwnt i allu iaith i'w disgrifio. Daw hwn o'r nofel *Scar Tissue* gan Michael Ignatieff; mae clefyd Alzheimer ar ei fam ac mae hi'n marw:

> Roeddwn wedi cyrraedd yr eiliad honno, un na lwyddais i baratoi ar ei chyfer er iddi fod yn hir ddisgwyliedig, pan gamodd Mam i fyd marwolaeth a'i llygaid yn agored led y pen.

Isod, mae dau ymateb i ddiagnosis. Daw'r cyntaf gan James McKillop, aelod o'r Scottish Dementia Working Group. Mae aelodau'r sefydliad hwn yn bobl sydd â'r cyflwr ac maen nhw'n ymdrechu i newid agweddau ac i wella gwasanaethau:

> Mae'n hanfodol cael y diagnosis ar yr adeg iawn, yn y man iawn, gan y person iawn sydd wedi neilltuo digon o amser i ateb unrhyw gwestiynau... Gall y rhan fwyaf o bobl ddechrau wynebu problem unwaith y byddan nhw'n gwybod amdani ac yn ei deall. Ond os na chaiff y gwir plaen ei ddweud neu os yw'r broblem yn cael ei chyfleu'n niwlog, byddwch yn dal yn y tywyllwch, heb arf, yn brwydro rhywbeth anhysbys.

Dyma Rebecca Ley, mewn erthygl am ei thad, yn trafod rhai o'r problemau a ddaw yn sgil diagnosis:

> Weithiau, mae'n well peidio â rhoi enw i'r tir neb hwnnw sydd rhwng iechyd a salwch, yn enwedig os bydd yn golygu bod unigolyn yn colli'i ryddid. Ac mae cyfrinachedd yn hollbwysig – dim ond hyn a hyn all aelodau pryderus o'r teulu ei gynnig o ran mynegi barn.
>
> Ond nid wy'n credu na roddwyd digon o amser i asesu fy nhad nac i ystyried ein pryderon ni o ddifrif. Mae angen llaw i ddal y rheini sy'n disgyn.

Dyma Kate Grillet yn sôn am ei bywyd hi gyda Christophe:

> Ein profiad ni o'r diagnosis – problemau gyda'r cof, dryswch, dicter, 'ymddygiad afresymol' (a oedd, wedi meddwl, yn ddigon rhesymol), profion, sganiau o'r ymennydd, rhagolygon llwm Christophe am ei ddyfodol ei hun o gofio dirywiad ei fam, diffyg cydymdeimlad y niwrolawfeddyg. Gadawyd ni ar gyfeiliorn: heb gymorth na chyngor, heb wybodaeth am yr hyn y gallem ei ddisgwyl na sut ddylem ni ymateb, am ryw wyth i ddeg mlynedd. Darllenais lyfrau a dechreuais i fynd i grwpiau i ofalwyr. Mae angen newid hyn oll. Mae angen cefnogi'r cefnogwr hefyd, o'r dechrau'n deg.

Mae Helen Finch yn gofalu am ei mam a bûm yn gweithio gyda'r ddwy. Dyma sgwrs a gawsom am y math o gefnogaeth sydd ei angen:

JOHN: Ga i ofyn – oherwydd 'mod i'n gwybod bod gennych chi farn gref am hyn – beth hoffai'r rhai sy'n datblygu dementia ei gael gan bobl eraill? Nid o ran gwasanaethau, ond yn emosiynol?

HELEN: Rwy'n credu bod angen i bobl gydnabod beth sydd wedi digwydd iddyn nhw. Ac rwy'n credu y dylai pobl fod yn onest gyda nhw. Er enghraifft, os bydd meddyg yn gwneud sgan o'r ymennydd ac yn gweld arwyddion amlwg o ddirywiad, oni fyddai'n briodol esbonio hynny?... Rwy'n credu bod angen rhyw fath o wasanaeth gwrando hefyd, p'un ai gan feddyg neu gynghorwr, a gan eu teuluoedd, efallai, mewn sesiynau grŵp. Efallai fod angen gwaith grŵp gyda theuluoedd yn y cyfnod cynnar.

JOHN: A fyddai hynny ar gyfer pobl sydd â'r cyflwr *yn ogystal* â'u teuluoedd? Eu cael nhw i gyd ynghyd, yn hytrach na mynd â'u teuluoedd o'r neilltu i'w cynghori?...

HELEN: Ie, fel grŵp, fel teulu, ie, pawb. Rwy'n credu ei bod yn bosibl iddyn nhw elwa o gael cyngor pe bydden nhw'n gofyn am gymorth. Ond efallai fod lle i'r ddau – i'r person â dementia gael cyngor ar wahân, yn broffesiynol, a therapi grŵp hefyd ar gyfer y teulu cyfan. O wneud hynny, mae pawb yn cael cyfle i drafod eu problemau. Roedd ein teulu ni'n lwcus iawn, roeddem ni'n gallu trafod pethau gyda Mam i raddau, ond hyd yn oed wedyn, dydw i ddim yn siŵr a oedd hynny'n ddigon chwaith.

Nodyn i gloi

Ein hagwedd ni tuag at ymwybyddiaeth pobl sydd wrth graidd ein dulliau o gyfathrebu a chysylltu â nhw. Os nad yw hynny'n cael ei ystyried yn ystod y diagnosis, gall arwain at ddrysu a chamddeall. Gall gyfyngu ar gyfleoedd pobl i fanteisio ar y gwasanaethau sydd ar gael ac arwain at fethiannau ar ein rhan ni wrth ateb eu hanghenion emosiynol. Yn benodol, mae angen i ni geisio deall nad yw distawrwydd person o reidrwydd yn arwydd o ddiffyg dirnadaeth, ohonyn nhw eu hunain neu ble maen nhw. Fel y dywedodd un ddynes wrthyf i ar ôl cyfnod hir o ddistawrwydd:

> Pan na fydda i'n dweud dim, mi fydda i'n meddwl.

Pennod 5 **Cynnal perthynas**

Rhan Un

O ystyried y pwyslais a osodais ar rôl y cefnogwyr ym Mhennod 1, daw'n amlwg o'r teitl fod y bennod hon yn un allweddol. Rwy'n credu bod ein hymateb i berson sy'n dechrau dangos arwyddion o ddryswch yn gallu effeithio ar ei les, yn ogystal ag ar gyflymder datblygiad ei gyflwr hyd yn oed. Os byddwn ni'n ddiystyriol neu'n ddirmygus o'r problemau pan fyddan nhw'n ymddangos, gall hyn greu tensiwn ac ansefydlogrwydd yn y berthynas. Os byddwn ni'n amyneddgar ac yn dangos empathi yn ein hagwedd, gallwn leddfu pryderon a chreu awyrgylch gefnogol.

Rwy'n sylwi fy mod i wedi defnyddio'r gair 'empathi' eto, heb gynnig diffiniad call ohono. Yr hyn rwy'n ei olygu yw'r gallu i edrych trwy lygaid rhywun arall am ychydig. Mae'n gofyn am lai o hunanymwybyddiaeth a pharodrwydd i geisio cysylltu â pherson yn emosiynol er mwyn deall ei sefyllfa. Nid yw'n cyfyngu ar weithredoedd yn yr un modd ag y mae 'cydymdeimlad' yn ei wneud; mae'r term hwnnw'n awgrymu cyflwr o fod yn emosiynol. Nid yw hwnnw, yn y bôn, o ddim gwerth. Empathi yw'r rhinwedd bwysicaf o ddigon i'w datblygu os ydym yn dymuno cynnal neu ddatblygu perthynas â rhywun sydd â dementia.

Fel rheol, er y bydd rhai sefyllfaoedd prin o ddementia pan fydd ffactorau corfforol yn effeithio ar ymddygiad person, mae'n well derbyn yn gyffredinol mai ffaeleddau yn ein hagwedd ni sy'n gwneud i bobl ymddwyn yn 'heriol'.

Yn wir, byddai'n ddefnyddiol i ni ystyried cyfnod cynnar y cyflwr yn gyfle i gael profiadau newydd ac i ddysgu ffyrdd newydd o fodoli, yn hytrach na dirywiad anochel yn dechrau. Mae sawl hanes gan gefnogwyr sy'n tystio i'r buddion a geir o fod ag agwedd gadarnhaol o'r dechrau'n deg.

Mae angen i ni dynnu'r baich o gofio a rhesymu oddi ar y person, gan ganolbwyntio ar sicrhau ei fod yn sefydlog yn emosiynol. Bydd hynny'n her i'r ddwy ochr, wrth reswm, ond rwy'n sicr y bydd yn talu ar ei ganfed os gwnewch chi ystyried y daith yn un i'w rhannu. Mae potensial yma i'r ddwy ochr elwa ac i ddatblygu dealltwriaeth ac agosatrwydd o'r newydd. Bydd y pwyslais yn cael ei symud o ganolbwyntio ar y gorffennol a'r dyfodol, i ganolbwyntio ar fyw yn y foment. Mae Pennod 16 yn trafod hyn yn fanylach.

Un agwedd a allai fod yn anodd ei thrin yw rhywioldeb. Wrth i ni heneiddio, mae'r agwedd hon ar fywyd yn amrywio o bryd i'w gilydd yn naturiol, ond gall dementia beri ambell newid annisgwyl: gall y teimladau ymddangos fel eu bod yn gwanhau neu'n cryfhau, ar raddfa sy'n amrywio'n fawr rhwng y ddau begwn.

Cynghorwr yw Danuta Lipinska sydd wedi gweithio un i un â llawer o bobl ac mewn grwpiau. Mae wedi ystyried rhywioldeb mewn henaint yn fanwl iawn. Dywedodd stori am un grŵp a oedd dan ei harweiniad:

> Meddai hen ddynes eiddil, dawel, 86 mlwydd oed: 'rwy'n *sex-maniac* un ar bymtheg oed yn y corff yma, ond does neb yn fy nghredu!' Roedd rhai'n syllu'n gegrwth, eraill yn teimlo'n lletchwith, cafwyd ambell floedd o lawenydd ac ambell un yn dweud 'da iawn chi!'

Os oeddech chi'n arfer bod mewn perthynas rywiol â'r person, efallai y bydd eich teimladau chithau'n newid hefyd. Mae hyn yn cael ei anghofio'n aml gan ei fod yn anodd ei drafod. Os gwelwch ei bod hi'n amhosibl trafod hyn â'ch partner, efallai y bydd angen dod o hyd i rywun arall i chi ymddiried ynddo. Ni wnaiff mygu'r teimladau hyn arwain at ddim ond rhagor o wewyr.

Nid yw'n annisgwyl bod rhai pobl yn ymateb yn gadarnhaol iawn i deganau meddal, doliau yn enwedig, o ystyried y posibilrwydd o deimladau cryf iawn (rhai mamol yn aml) a'r angen am gysur. Mae cryn ddadlau a ddylid hybu hyn ai peidio. Yn fy marn i, os mai agwedd ar yr ysbryd chwareus a ddisgrifir ym Mhennod 15 ydyw, mae hynny'n iawn. Felly bydd y person yn gallu gwahaniaethu rhwng y tegan a baban neu anifail go iawn yn rhwydd. Pan fydd person yn defnyddio tegan yn lle cynnal perthynas â phobl, mae hynny'n debygol o achosi problemau.

Roedd Mary yn un o breswylwyr mewn cartref gofal y bues i'n meithrin perthynas â hi dros sawl mis. Dyma fy myfyrdodau i am yr agosatrwydd a oedd rhyngom, wrth edrych ar lun o'r ddau ohonom gyda'n gilydd:

> Yn y llun, rydym yn sefyll yn yr uned, fy llaw chwith yn cydio yn dy un di. Dwi, gan 'mod i gymaint talach, yn gwyro ymlaen, ac mae'n pennau ni bron â chyffwrdd ei gilydd. Rydym yn chwerthin ac mae dy lygaid di ynghau, oherwydd dwyster dy

deimladau, mae'n debyg. Dyma ni'n rhannu jôc, ond gan fod dy iaith bron â mynd yn llwyr, efallai mai rhywbeth roeddem wedi'i weld neu ei adnabod oedd yno. Neu efallai fod un ohonom wedi meddwl am rywbeth a'r llawenydd wedi sboncio o'r naill i'r llall. Yn ddi-ffael, mae ein cyfeillgarwch yn ymestyn y tu hwnt i eiriau.

Mae'r corff yn rhan bwysig o'n perthynas: rydym ni'n cofleidio, yn cwtsio ac yn cusanu. Rydym ni'n symud o hyd – yn dawnsio neu'n cerdded – yn archwilio ein hamgylchedd. Dwyt ti byth yn blino o weld wynebau newydd a mannau newydd; yn hytrach, mae'r hen wynebau a'r hen fannau o hyd yn newydd i ti.

Rhai o dy hoff bethau yw ffotograffau. Mae dy wyneb yn adlewyrchu'r teimladau rwyt ti'n eu gweld ynddyn nhw, ac rwyt ti'n cynnig sylwebaeth briodol. Rwy'n gwybod hynny o oslef dy synau. Mae dy sgwrs yn llawn ebychiadau.

Mae dy osgo'n llawn ebychiadau hefyd: pan fydda i'n cyrraedd yr uned a thithau'n fy ngweld i yn y pellter, byddi di'n nesáu ac yn pwyntio, yn pwyntio o hyd. Ac rwyf innau'n gwneud yr un fath. Nes bydd ein bysedd yn cyffwrdd o'r diwedd ac yn plethu yn ei gilydd. Ac mi fyddi di'n dweud 'o, chdi!' dro ar ôl tro, fel taset ti ddim yn credu dy lwc. Dydw innau ddim yn credu fy lwc chwaith.

Wrth ysgrifennu hwn, rwy'n sylwi nad ydw i'n gwybod braidd dim am dy orffennol. Yr unig beth sydd gennym yw'r foment hon. Ac mae hynny'n ddigon.

Rhan Dau Lleisiau eraill

Americanwr yw Cary Smith Henderson ac mae wedi ysgrifennu llyfr sy'n trafod ei ddementia:

> Wel, os ydych chi fel fi, mae'n debyg nad ydych chi'n meddwl rhyw lawer ond mae gennych chi lwyth o deimladau. Mae popeth rydym ni'n ei wneud yn llawn teimlad.

Awdures o America yw Frena Gray Davidson hefyd:

> Mewn sawl ffordd, yr hyn a'm rhyfeddodd fwyaf ar y siwrne gyda chlefyd Alzheimer oedd sylweddoli ei bod yn rhyw fath o lwybr sy'n arwain o'r meddwl i'r galon.

Dyma Kate Grillet yn disgrifio ei thaith ei hun:

> Roeddwn wedi ymlâdd o ganlyniad i straen a diffyg cwsg, ac yn agos at wylltio drwy'r adeg; ond roeddwn i'n parhau i ofalu am Christophe, drwy'r cyfnod mae Oliver James yn ei alw'n ben tennyn a thu hwnt. Wedi hynny, llwyddais i ailddatblygu diddordeb cariadus a chyrraedd lefel newydd o oddefgarwch (fesul tipyn, fe ddes i arfer ag o yn ei wlychu ei hun ac i beidio â phoeni amdano, fel roeddwn i gyda'r plant pan oedden nhw'n ifanc). Rwy'n credu i mi ddod yn dawelach fy meddwl, ond yn dristach ac yn fwy blinedig. Ond roedd cymaint o eiliadau gwerthfawr hefyd; mae'n llwybr creigiog, ac mae'n hawdd baglu.

Mae Kate hefyd yn trafod yr ochr rywiol:

> Pan oedd Christophe yn y cartref gofal, roeddwn i'n ysu'n aml i gael dod ag ef adref, neu am wely dwbl fel bod modd i ni orwedd gyda'n gilydd. Holais a gawn i aros gydag o, ond roedd pobl yn meddwl bod yr ysfa honno'n od o ystyried ei fod yn ei wlychu'i hun. Roeddwn i'n parhau i feddwl amdano fel fy nghariad hyd y diwrnod y bu farw, a hyd heddiw.

Dyma ran arall o'r sgwrs â Helen Finch, a ddyfynnwyd ym Mhennod 4:

> JOHN: Mae hyn yn fy arwain at gwestiwn anodd, rhywbeth hollbwysig, yn fy marn i. Rydych chi wedi gweld effaith dementia ar eich mam: mae wedi dwyn ei galluoedd i gyd oddi arni. Ydych chi'n dal i'w gweld hi fel oedolyn, neu a ydych chi wedi dechrau meddwl amdani fel plentyn?
>
> HELEN: Wel, dwi ddim yn credu 'mod i'n meddwl am neb mewn ffordd mor ddu a gwyn â hynny. Ond rwy'n parhau i'w gweld hi fel mam i mi ac felly fel oedolyn. Yr hyn sy'n anodd dros gyfnod o amser yw dal eich gafael ar y person roedd hi'n

arfer bod. Ac er y gallech ddweud ei bod yn ymddwyn yn 'blentynnaidd' ar brydiau, dydw i ddim yn ei gweld hi fel plentyn.

Pan oeddech chi'n iau, roeddech yn edmygu ein mam ac ati hi fyddech chi'n mynd pan oeddech chi mewn helynt. Roedd hynny'n arbennig o wir am fy mam i, roedd hi o hyd yn barod i wrando... roedd hi'n un da am drafod syniadau. Rwy'n teimlo'n anesmwyth o weld bod ei gallu hi i wneud hynny wedi dirywio cymaint. Rwy'n parhau i allu ymddiried ynddi, mae'r elfen famol honno'n dal yno. Ond mae dementia yn ei gwneud hi'n anodd mewn sawl ffordd. Er enghraifft, roedd y tro cyntaf i mi orfod ei ymolchi yn ergyd fawr. Bu'n rhaid i mi adael yr ystafell ymolchi i grio – doedd o ddim yn teimlo'n naturiol, dyna'r unig ffordd y galla i ei ddisgrifio.

JOHN: Mae'n drysu'ch holl syniadau chi am eich rôl, on'd ydi? Ond dydi hynny ddim yn wahanol i unrhyw blentyn sy'n tyfu'n oedolyn ac yn gorfod dechrau helpu rhiant yn ei henaint sy'n analluog yn gorfforol – efallai nad oes a wnelo hynny ddim â dementia o reidrwydd?

HELEN: Nac oes, ond...

JOHN: Ond onid dyna'r broblem – nad ydi hi ddim ond yn analluog yn gorfforol, neu efallai nad yw hi'n analluog yn gorfforol o gwbl?

HELEN: Rwy'n sicr bod dimensiwn ychwanegol i hyn, gan fod pob math o rannau eraill i'r berthynas y byddai modd eu cynnal drwy gydol salwch corfforol, sy'n anoddach o lawer eu cynnal o ganlyniad i ddementia.

JOHN: O drafod teimladau, gan mai dyna sy'n clymu pobl wrth ei gilydd yn y bôn, ydych chi'n cael trafferth teimlo'n agos at eich mam?

HELEN: Nac ydw.

JOHN: Ydi'r dementia wedi effeithio ar yr agosrwydd o gwbl?

HELEN: Ydi. Pan fydd unrhyw newid yn digwydd, yn sicr unrhyw newid sy'n ymwneud â cholled, mae'n gallu meithrin llawer o deimladau negyddol ond dwi'n credu bod agweddau positif iddo hefyd. Mewn rhai ffyrdd, mae dementia wedi dod â ni'n nes at ein gilydd, yn enwedig mewn ffordd fwy corfforol ac agored. Doedd fy mam ddim yn wych am ei mynegi'i hun.

Ac mae agwedd arall: rydych chi'n cael eich gorfodi i gysylltu â phobl ar lefel fwy sylfaenol, ac rydych yn methu dibynnu ar eiriau yn yr un ffordd ag arfer, felly rydych chi'n canolbwyntio'n llwyr ar y math o gyfathrebu roedd y ddwy ohonom yn dibynnu arno pan oeddwn i'n blentyn.

Nodyn i gloi

Mae ambell berthynas yn hirhoedlog ond mae dementia yn gallu ei newid er gwaethaf hynny; gall ddod yn anoddach neu gall ddwysáu. Rhaid i ni fod yn barod ar gyfer datblygiadau posibl. Gall perthynas newydd ffurfio hefyd a hynny'n gyflym. Dywedodd dynes wrthyf i unwaith:

> Os byddi di'n dal yma pan ddo' i'n ôl, mi fydda i'n falch – mi wna i roi tic ger dy enw di.

Dywedodd dyn wrthyf i:

> Does dim dynion eraill fel ti yma, dynion y galla i siarad â nhw. Os bydd rhywun yn gofyn, cofia ddweud dy fod ti'n frawd i mi.

Pennod 6 **Cydraddoldeb**

Rhan Un

Rwyf am ddechrau trwy ddisgrifio sefyllfa aelod o staff a minnau mewn sgwrs. Mae'n wir mai hi ddaeth i fy swyddfa i a'n bod ni'n wynebu ein gilydd dros ddesg. Ond roedd y ddau ohonom wedi cytuno ar leoliad y cyfarfod a'r amser, a'r ddau ohonom yn awyddus i glywed straeon ein gilydd. Doeddwn i ddim yn rheolwr arni yn yr ystyr ffurfiol ac roedd y ddesg rhyngom yno i bwyso ein penelinoedd arni, yn hytrach nag i fod yn rhwystr! Roedd y ddau ohonom yn parchu lle ein gilydd, yn gorfforol ac yn feddyliol, a gallai unrhyw un ohonom fod wedi sgwrsio neu adael ar unrhyw adeg.

Aethom yn ein blaenau i ddychmygu sefyllfa debyg gyda rhywun â dementia. Ai'r un fyddai'r cydraddoldeb? Ynteu a oeddem ni, yn ddiarwybod neu beidio, yn defnyddio grym mewn ffordd a allai ymylu ar fod yn drech na rhywun arall? Roedd y ddau ohonom yn cydnabod pa mor hawdd yw defnyddio'ch ystum i gyfleu mai chi ydi'r meistr. Neu newid eich goslef er mwyn gwneud i rywun ymlacio wrth i ni, efallai, roi syniad yn ei ben am rywbeth rydym ni am iddo'i wneud. A dyma fentro i faes 'seicoleg falaen' Kitwood. Ai dyma'r 'Brad' a ddisgrifiwyd ganddo?

Daeth y sgwrs honno â fy nghyd-weithiwr i ben, ond roeddwn i'n dal i feddwl amdani. Ni chafodd sawl agwedd ar y grym hwn eu crybwyll yn ystod ein sgwrs, fel ysgogiad personol y cefnogwr ac effaith y sefydliad lle'r oedd y drafodaeth rhwng y naill a'r llall yn digwydd.

Ond gan barhau i feddwl am y grym mewn sefyllfa un i un, sylweddolais fy mod i wedi anghofio'n llwyr am gyfathrebu dieiriau. Mae hi mor hawdd a chyfleus i ni anwybyddu hyn, a hynny oherwydd ei fod yn faes lle gall y rhai ohonom sydd heb ddementia fod dan anfantais.

Er bod arbenigwyr yn dweud bod rhan fawr o bob sgwrs yn ddieiriau, rydym yn tueddu i gymryd hynny'n ganiataol. Pan fyddwn yn cyfathrebu â rhywun sydd wedi colli llawer o'i allu geiriol, mae gennym ddewis: parhau i ddefnyddio geiriau gan ddisgwyl braidd dim yn ôl neu geisio cyfathrebu â'r person ar ei delerau ei hun, gan ddefnyddio holl eirfa sain, cyffyrddiad, iaith y corff, cyswllt llygaid ac ati (trafodir y rhain ym Mhennod 9).

Gall cyfathrebu â'r person ar ei delerau ei hun fod ychydig yn anodd a pheri i ni deimlo'n anghymwys eithriadol. Ond beth sydd o'i le ar hynny? Onid oes angen hynny er mwyn newid y cydbwysedd grym sydd yn ein ffafrio ni gan amlaf?

Os gallwn ymostwng i gofleidio cyfathrebu dieiriau, bydd y profiad yn gwneud i ni deimlo'n wylaidd iawn. Rhaid i ni dderbyn nad ydym yn rhugl yn y byd anghyfarwydd hwn. Bydd yn rhaid i ni ddilyn un a fydd, o raid, yn llawer mwy galluog i gyfleu cynildeb llawn mynegiant a'i werthfawrogi. Os caiff rhywun arwain sgwrs, boed yn eiriol neu'n ddieiriau, gallai fod yn brofiad pleserus a boddhaol iddo.

Dyma un o'r agweddau real, dwfn a heriol ar ddementia. Gall ei hystyried, ac ystyried ein hymddygiad yn y gorffennol, beri i ni deimlo'n anghyfforddus. Nid wyf am gelu'r gwirionedd y gallai fod yn anodd i ni rymuso'r person yn gyson, waeth pa mor oleuedig ein cymhellion neu frwdfrydig ein bwriadau.

Rhan Dau Lleisiau eraill

Dyma eiriau dynes sydd â dementia:

> Dydw i ddim yn mynd i ofyn am gymorth. Maen nhw wedi dweud wrtha i, dydw i ddim i fod i ofyn. Fe ddwedon nhw wrtha i i fyny'r coridor. Felly dwi am wneud yr un fath â phawb arall: mynd i gysgu... Dydyn nhw ddim yn rhoi cyfle i chi: os gwnei di hyn mi gei di hwnna; os gwnei di rywbeth arall mi gei di'r llall.

A dyma ddynes arall yn cwyno am yr hyn a alwodd Kitwood yn 'Anwybyddu' (un o'i gategorïau o 'seicoleg gymdeithasol falaen'):

> Bydd rhai pobl, pan fydda i a 'ngŵr i gyda'n gilydd, yn cyfeirio ata i fel 'hi', yn hytrach na 'chi' neu 'nhw' neu 'chi'ch dau'. Dwi yno, ond dydyn nhw ddim yn fy ngweld i... Ac mae'n fy ngwylltio i – dwi eisiau tynnu tafod arnyn nhw a dweud 'mae clefyd Alzheimer arna i ond dwi'n dal i allu deall a siarad drosto i fy hun y rhan fwyaf o'r amser'.

Cynigiodd Helen Finch y sylwadau hyn mewn sgwrs â mi am gydraddoldeb mewn perthynas:

> HELEN: Rwy'n teimlo ei bod hi'n bwysig trin person yr un fath â chynt, a 'nghred i yw bod hynny'n wir am yr holl bobl rwy wedi cyfarfod â nhw sydd â dementia, nid fy mam i yn unig. Rhaid i ni ymdrechu i gyfathrebu ar yr un lefel ag y byddech chi â rhywun *heb* ddementia – i mi, mae hynny'n teimlo fel egwyddor sylfaenol.

JOHN: Ydi hynny'n ymwneud ag urddas?

HELEN: Yn sicr. Ac un o'r pethau sy'n peri'r gofid mwyaf yw'r troeon pan fydd pobl yn siarad â fy mam mewn ffordd wahanol, yn wahanol i sut fydden nhw wedi siarad â hi pe na byddai dementia arni. Mae hynny'n peri gofid mawr i mi.

Nodyn i gloi

Mae angen i mi eich atgoffa (byddaf yn gorfod atgoffa fy hun hefyd, yn aml) fod ein gwaith ni fel cefnogwyr yn dwysáu pan fydd person yn dechrau datblygu trafferthion wrth gyfathrebu. Pan fydd rhywun yn methu dod o hyd i air neu'n cael trafferth cwblhau tasg, mae'n hawdd (bron yn ail natur) i ni gynnig yr hyn sydd ar goll, neu orffen y dasg ar ei ran. Mewn achosion o'r fath, mae angen i ni sylweddoli ein bod yn dwyn ei gyfle i weithredu ac yn tynnu sylw at ei fethiant mewn ffordd niweidiol. Dyna pam y dylid gofyn y cwestiwn 'Pwy sy'n rheoli yma?' yn aml, waeth pa mor boenus fydd ymdopi â'r ateb. Dywedodd un person â dementia wrthyf i:

> Mae pawb yn dweud 'Mi alli di wneud'. Wrth gwrs y galla i! Ond does neb yn rhoi cyfle i mi...!

Pennod 7 **Dal gafael mewn atgofion**

Rhan Un

Ym meddwl y rhan fwyaf o bobl, mae cysylltiad rhwng dementia a newidiadau i'r cof. Go brin, meddech chi, fod angen pwysleisio hyn. Ond, mae'n bwysig i ni sylweddoli bod anghofio yn digwydd hefyd wrth i bobl heneiddio. Mae'r ffin rhwng anghofio a dementia yn amwys ac nid ar chwarae bach, felly, mae gwneud diagnosis pendant.

'Mae fy nghof yn teneuo,' dyna sut ddisgrifiwyd y broses i mi un tro. Ond mae'n rhaid cofio gwahaniaethu rhwng y gwahanol fathau o gof – nid yw pob un yn 'teneuo' ar yr un raddfa. Gall y cof ar gyfer cwblhau tasgau penodol barhau am hir iawn. Gall y rhan sy'n ymwneud â'r emosiynau barhau i fod yn bwerus iawn a chael ei hysgogi gan lun neu arogl neu sain (a cherddoriaeth yn enwedig). Mae'r cof am ffigurau a ffeithiau (dau beth y rhoddir pwys arnynt yn ein cymdeithas ni) yn gallu dirywio, a'r cof sy'n cysylltu wynebau ag enwau. Gall y cof fod yn anwadal iawn hefyd, a lles meddyliol neu gorfforol yn dylanwadu arno. Weithiau, bydd un achos o anghofio'n cael ei ddilyn gan atgof manwl dro arall.

Gallwch annog rhywun i ddechrau hel atgofion trwy ddefnyddio ffotograffau, eitemau, ffilmiau, cerddoriaeth ac ati. Wrth wneud hyn, atgofion cynnar a gaiff eu hysgogi fel rheol. Yn Ewrop, America ac Awstralia mae'r cysyniad o annog pobl i hel atgofion yn mynd o nerth i nerth, ond rhaid cofio y gall hyn wneud cymaint o niwed ag o fudd. Clywais un ddynes yn cwyno, 'Mae'r hen ddyddiau yn fy nrysu wrth i mi geisio eu cofio'. Gall yr ymgais i gael person i fentro i stordy'r cof beri problemau gan ei fod yn faes lle gall pobl deimlo rhwystredigaeth wrth fethu. Ond gall gynnig profiadau arbennig hefyd – dywedodd un ddynes wrthyf i, 'Dwi wedi bod yn chwarae yn Nhŷ'r Oesoedd!' Tybed oedd hi'n cyfeirio at sesiwn hel atgofion?

Un camddealltwriaeth cyffredin iawn o ran ein cof yw meddwl amdano fel llyfrgell fideo, lle gallwn ddewis unrhyw beth i'w wylio dro ar ôl tro. Ond mewn gwirionedd, mae'r broses o ysgogi atgof yn rhywbeth gweithredol, yn cael ei ailadeiladu bob tro ac o ganlyniad mae bylchau, camddehongliadau a dyfeisiadau yn sicr o effeithio arno. Ni all unrhyw hunangofiant gynnig 'y gwir, yr holl wir, a dim ond y gwir'.

I'r rhai sydd â dementia, mae'r sefyllfa hon yn fwy annibynadwy, hyd yn oed. Gyda'r anghofrwydd, amser wedi'i wyrdroi, grym emosiynol ambell ddigwyddiad neu berson, ynghyd â phroblemau iaith, gall atgofion fod yn niwlog iawn o'u cymharu â'r gorffennol mae eraill yn ei gofio. Ond rhaid gofyn: a oes ots? Ac os nad oes, sut ddylem ni ymateb i naratif sydd, o bosib, yn llawn anwiredd? Rwy'n credu, fel mewn sawl sefyllfa arall, nad oes pwrpas cywiro person. Efallai y byddai hynny'n ei gynhyrfu neu'n peri iddo deimlo'n annigonol. Ac mae hyn yn amharchus. Cofiwch y gallech chi barhau i'w gefnogi heb i chi orfod cytuno â'r hyn sy'n cael ei ddweud. Mae angen cyfle ar bawb i siarad a chlust i wrando arno, waeth pa mor annhebygol yw'r stori.

Pan fydd problemau iaith person ar gynnydd, mae'n bosibl na fydd yn gallu siarad fawr ddim, maes o law. Gall fod yn anodd iawn gwybod am beth (os o gwbl) fydd rhywun yn hel atgofion, os nad yn amhosibl. Ond y tu hwnt i'r gwacter meddwl mae yna berson go iawn a chanddo atgofion, er mai dim ond weithiau y gall eu rhannu â chi. Mae ambell enghraifft o'r rhwystr hwnnw'n cael ei chwalu, gydag effeithiau cadarnhaol iawn.

Roedd cyn-weinidog yn un o'r unedau y bues i'n gweithio ynddi, a gofynnodd ei wraig a fyddwn i'n gallu ei helpu i hel atgofion am ei fywyd. Am awr a mwy rhoddodd hi gwestiynau i mi eu gofyn iddo ond ni ches ymateb o fath yn y byd. Yna trodd hi ato ei hun, a gofyn: 'Wyt ti'n cofio, cariad, pan est ti i baragleidio am y tro cyntaf yn wyth deg oed?' Yn ddirybudd, cododd ar ei draed, fel pe bai'n ôl yn y pulpud, a datgan:

> Roedd tri ohonom ni ar y cwch a fi oedd y cyntaf i wneud. Yr hedfan oedd o, y teimlad o ryddid. Mi ges i fy syfrdanu wrth deimlo fy hun yn llifo fel yna. Ac yna mi fues i'n hedfan eto. UN, DAU, TRI! Pryd gawn ni fynd eto?

Yna disgynnodd yn ôl i'w gadair. Roedd ei wraig yn ei dagrau. Roedd wedi llwyddo i ddod o hyd i'w hen ddull o bregethu ac wedi adennill ei allu geiriol am gyfnod byr – y cyfan, fe ymddengys, o ganlyniad i hyrddiad grymus rhyw atgof emosiynol.

Bûm yn siarad ryw dro â dynes a oedd yn defnyddio'r ymadrodd: 'Atgofion sy'n bendithio ac yn llosgi'. Dyna'n hatgoffa fod gan sawl un ohonom bethau y byddai'n well gennym eu hanghofio. Felly, pan fyddwn ni'n annog pobl i hel atgofion, rhaid sylweddoli y gallai'r atgofion hynny fod yn rhai anghyfforddus neu'n ddirdynnol, hyd yn oed.

Un o agweddau tristaf bod yn anghofus yw pan fydd person yn methu ag adnabod wyneb cyfarwydd neu'n camgymryd person am rywun arall – rhywun arwyddocaol o'i orffennol fel arfer. Yn aml, bydd ton o emosiynau yn dilyn y camgymeriad: mae'r person yn gwybod eich bod chi'n bwysig iddo ond mae wedi gwneud y cysylltiad anghywir. Efallai y gallech chi ymatal rhag ei gywiro a chael cysur o'r hyn rydych chi'n ei olygu iddo.

Wrth gwrs, bydd rhai'n ysgwyd eu pennau, gan ddweud bod mynd yn anghofus yn ddiwedd ar y math o fywyd ystyrlon rydym ni wedi arfer ag o. Ond mae modd i ni fod ychydig yn fwy ymarferol. Clywais am feddyg a gynigiodd y cyngor yma i glaf a oedd yn cwyno am ei broblemau: 'Paid â dweud bod dy gof yn methu. Meddylia amdanat dy hun fel un sy'n anghofio'n well.'

Rhan Dau Lleisiau eraill

Yn ôl y disgwyl, mae gen i lu o ddyfyniadau i'w cynnig ar gyfer y pwnc yma. Daw'r cyntaf o ddarn mewn papur newydd gan gefnogwr o'r enw Will Eaves. I rai, daw'r cyflwr â rhyddid rhag gorfod wynebu rhannau annifyr o'r gorffennol ac yma mae Will yn myfyrio a yw hyn yn wir yn achos ei fam:

> Tybed a fu colli ambell ran o'i hunaniaeth yn ddrwg i gyd i Mam. Roedd chwedl ei chefndir yn ffynnon o falchder enfawr:

tarddiad ei hunigoliaeth o fewn y teulu. Ond roedd yn peri gwewyr parhaus iddi hefyd – a phan ddiflannodd y gwewyr hwnnw, gyda'i gymysgedd o hiraeth ac euogrwydd, roeddwn i'n tybio iddi gael ei rhyddhau i fyw mewn fersiwn fwy eglur o'r presennol, lle'r oedd pob cyfle yn ddisglair, yn llon ac yn lleddf.

Mae'r synhwyrau'n arbennig o dda am ddeffro atgofion. Gwelir hyn yn glir yn yr enghraifft hon gan Claire Craig, therapydd galwedigaethol y cyfeirir ati lawer gwaith eto rhwng dau glawr y llyfr hwn:

> Ni ddylid diystyru'r grym emosiynol anhygoel sydd gan aroglau. Mae'r nerfau synhwyraidd yn y trwyn wedi'u cysylltu'n uniongyrchol â chanolfan emosiynol eich ymennydd, y system limbig. Ychydig ddyddiau'n ôl, gwelais ddynes â dementia'n eistedd yn wylo, gan siarad am ei phlant coll. Byddai sawl un wedi dweud nad oedd cyd-destun i'r sgwrs gan ddweud ei bod hi'n 'ddryslyd', ond roeddwn innau hefyd wedi arogli'r mymryn o eli babi yn yr aer, yn siampŵ rhywun, mae'n siŵr.

Mae sawl cefnogwr, fel HJ yma, wedi adrodd straeon am sut all y cof gael ei ysgogi mewn ffyrdd anesboniadwy, gan arwain at bethau hudolus:

> Roedd dwy flynedd dda wedi mynd heibio ers y tro diwethaf i Mam fy adnabod. Un diwrnod, roeddwn i'n eistedd wrth ei hymyl, pan edrychodd hi arna i. Gwelais lawenydd yn ei hwyneb a galwodd ar y nyrs, a ddaeth draw. Gyda gwên a oedd yn llawn balchder mamol, dywedodd, 'Dwi eisiau i chi gwrdd â fy mab.' Yna, pylodd eto, a diflannu drachefn.

Adroddodd Joan Woodward y stori a ganlyn:

> Roedd fy mam yn aros gyda mi rhwng dau gyfnod mewn cartrefi preswyl. Un diwrnod, wrth i mi fynd â brecwast iddi yn ei gwely, gofynnodd 'Ble mae Joan?'
>
> Esboniais mai fi oedd Joan a'i hateb hi oedd, 'Ia, dwi'n deall

hynny. Ond fy Joan i roeddwn i'n feddwl. Mae hi'n ieuengach na chi o lawer ond mae ganddi fwy o synnwyr cyffredin!'

Roedd hynny'n ddigon doniol i bylu'r sioc o sylweddoli ei bod, am y tro cyntaf erioed, wedi methu fy adnabod.

Dyma'r cyngor sydd gan y seicolegydd Stephen Davies i'w gynnig o ran mater anodd a chythryblus atgofion poenus.

> Mae pobl sydd â dementia yr un mor debygol â neb arall o fod wedi cael profiadau dirdynnol yn y gorffennol. Wrth i'w sgiliau cofio ddirywio, mae'n bosib y bydd eu dulliau o ymdopi'n llai effeithiol hefyd. Gall unrhyw un sydd 'wedi cael rhyfel anodd' weld y cyfnodau hynny'n ailymddangos a gall pobl â dementia gyfleu'r atgofion hyn mewn ffyrdd anarferol – trwy weithredoedd yn hytrach nag iaith. Mae gallu sôn am y rhyfel yn hanfodol os ydych am ddeall rhywun penodol sydd â dementia, ond mae angen pwyso a mesur yn ofalus, a gallai hyn olygu ambell risg. Ond os caiff ei reoli a'i fonitro'n ofalus, gyda chymorth agos gofalwyr, gallai dawelu ambell atgof poenus.

Nodyn i gloi

I'r rhai ohonom sy'n trysori atgofion, mae'r cof yn hollbwysig ond mae rhai'n ymdopi â braidd dim atgofion, ac eraill hyd yn oed yn elwa o hynny. Weithiau, bydd rhai sydd wedi dal eu gafael ar eu hatgofion yn dymuno'u cadw'n breifat, fel y ddynes yma a roddodd gerydd unwaith i mi am holi gormod:

> Roeddwn i'n byw ar fferm. Ac rwy'n parhau i wneud. Mae'n uwch nag yma. Mi fyddwn i'n cynnig mynd â chi yno, ond dydw i ddim eisiau mynd â chi yno. FI SYDD PIAU HI! FI SYDD PIAU HI!

Pennod 8 **Gwrando ar yr iaith**

Rhan Un

Stori wir, mae arna i ofn. Ychydig flynyddoedd yn ôl ces wahoddiad gan olygydd i gyfrannu pennod i lyfr a oedd yn trafod cyfathrebu â phobl iau sydd â dementia. Ar ôl i mi dderbyn y cynnig, sylweddolais nad oeddwn i erioed wedi cyfarfod â phobl iau â dementia! Penderfynais, felly, ymweld ar fyrder â phobl a oedd yn y categori hwnnw. Gofynnais am gymorth gan Alzheimer Scotland ac yn fuan iawn wedyn roeddwn mewn fflat un stafell fechan yn ardal Leith, yng Nghaeredin. Ar y naill ochr i mi roedd gwely, ar llall roedd Alison, a oedd yn gweithio i Alzheimer Scotland. Ar droed y gwely eisteddai Bill, y gŵr roeddwn wedi dod i'w gyfarfod.

Estynnais am restr o gwestiynau roeddwn wedi'u paratoi a dechreuais fynd trwyddyn nhw. Nid atebodd Bill yr un ohonyn nhw. Wrth barhau â'r rhestr, dechreuais dybio bod ganddo broblemau cyfathrebu dyrys. Ond wedyn, trodd at Alison yn ddirybudd gyda'i lygaid yn llawn direidi, a gofyn: 'Beth am gau ceg John?' Doedd ganddi hi ddim syniad beth i'w wneud, roedd hynny'n ddigon amlwg, ond roedd Bill yn gwybod yn iawn. Estynnodd am ei ŵn llofft oddi ar y gwely a'i daflu dros fy mhen. Am y deg munud nesaf (er iddo deimlo'n hirach i mi) cafodd Bill ac Alison sgwrs gwbl arferol, tra 'mod i'n eistedd yno'n chwys domen ac wedi drysu'n lân o dan y gorchudd.

Ymhen ychydig, mentrodd Alison ofyn 'Beth am adael i John ddod allan rŵan?' Cododd Bill gornel y dilledyn a dweud: 'Mi gei ddod allan rŵan, y diawl bach, ond i ti addo peidio â gofyn rhagor o gwestiynau gwirion.' Gwnes yr addewid a chael fy rhyddid. Gwelais ei fod yn gwenu: roedd o wir wedi mwynhau gwneud hwyl ar fy mhen. Tybed a sylwodd Bill gymaint y dysgais ganddo am gyfathrebu tra bûm i o dan yr ŵn llofft? Mae neges bwysig arall i'r stori hon hefyd – pan ddychwelais i'r swyddfa ac edrych ar y cwestiynau eto, sylwais fy mod i wedi cael yr atebion i gyd wrth wrando ar sgwrs Bill ac Alison.

Problemau gydag iaith yn aml yw rhai o'r arwyddion cyntaf o ddryswch. Ar brydiau, bydd yr eirfa fel pe bai'n diflannu a'r geiriau naill ai'n cyrraedd mewn ffyrdd anarferol neu ddim yn dod o gwbl. Bûm yn sgwrsio ag un ddynes a ddisgrifiodd y sefyllfa fel hyn:

> Rwyt ti a fi, John, yn siarad yr un iaith. Dim ond dy fod ti'n ei siarad hi yn y ffordd arferol a 'mod innau'n ei siarad â'i phen i lawr.

Gall hyn beri i'r person deimlo'n rhwystredig ac yn boen i'r rhai sy'n gobeithio deall a chynnig ateb priodol.

Byddai'n amhosibl i mi lunio cynllun ar eich cyfer i ddehongli'r sefyllfa – yn wir, byddai'n amhosibl llunio un ar gyfer **unrhyw** sefyllfa heb sôn am un ar gyfer **pob** sefyllfa. Yr unig beth alla i ei wneud yw cynnig ambell enghraifft a rhoi arweiniad cyffredinol.

Dyma ambell enghraifft lafar: 'Pwy sy'n gyfrifol am y geiriau sbâr?' gofynnodd dyn i mi unwaith. Mae'r syniad o benodi rhywun i helpu gydag iaith yn un gwreiddiol, ond heblaw hynny mae'n cyfleu pwysigrwydd cyfathrebu i'r rhai sy'n cael trafferthion, am y tro cyntaf efallai.

Dywedodd dynes wrthyf i unwaith: 'Geiriau ydych chi. Weithiau mae pobl yn estyn geiriau yn ôl i chi. Mae pob un wedi torri ac wedi'u trwsio o chwith.' Rwy'n credu ei bod hi'n ceisio dweud mai wrth ein hiaith y cawn ein hadnabod. Yn ei thyb hi, felly, byddai gan bobl farn wael ohoni oherwydd ei hanawsterau. Mae hi'n gwybod nad yw hi'n dwp, ond mae'r sefyllfa yn peri iddi ymddangos felly ac mae mewn gwewyr oherwydd nad yw eraill yn ei deall.

Nodwedd arall sy'n datblygu mewn rhai pobl, ac sy'n gallu drysu'r gwrandäwr, yw defnyddio iaith symbolaidd – hynny yw, defnyddio geiriau neu syniadau i gyfleu geiriau neu syniadau eraill. Er enghraifft, dywedodd dyn wrthyf i: 'Oes gen ti unrhyw agoriadau? Oes gen ti ganllaw? Alli di ddod a throi allwedd yn y clo i mi? Wnei di ddim dod o hyd i fy stafell. Does gen i... ddim byd.' Roedd hi'n amlwg i mi nad oedd o'n sôn am ei gartref; yn hytrach ceisio cyfleu roedd o sut roedd o'n ymdopi'n feddyliol, yn ei farn ef. Mae sawl un, yn fy mhrofiad i, yn dangos dirnadaeth fel hyn.

Mae Cathie Borrie, sy'n awdur Americanaidd, wedi cofnodi dywediadau ei mam mewn llyfr bychan. Pan ofynnodd hi i'w mam, 'Beth yw dy farn di am yr awyr?' dyma oedd ei hateb:

> O, wn i ddim wir am yr awyr, dwi ddim yn gwybod llawer amdano. Mae'n eitha' prydferth, ond mae'n rhaid gwisgo menig am ei fod yn dangos olion bysedd, a does dim eisiau hynny.

Iaith teimladau yw barddoniaeth ac mae'n defnyddio trosiadau yn aml. Mae sawl enghraifft o'r math hwn o iaith yn y llyfr hwn. Rwy'n credu ei bod yn digwydd o ganlyniad i'r pwyslais ar emosiynau yn hytrach na rhesymeg – rwyf eisoes wedi crybwyll hyn.

Efallai fod yr agweddau creadigol ar iaith y down ar eu traws yn deillio o'r gallu i gyrraedd y meddwl anymwybodol. Mae fel pe bai'r awenau wedi'u gollwng, gan ryddhau'r meddwl rhag ffrwynau rhesymeg. Rwy'n tybio mai dyma oedd ar feddwl un ddynes pan ddywedodd wrthyf i, 'Rwy'n malu awyr, ond daw'r cyfan o'r hyn sy dan yr wyneb.'

Mi wnes i addo ambell awgrym cyffredinol am bethau cadarnhaol a negyddol o ran cyfathrebu geiriol. Awgrymiadau yw'r rhain, nid presgripsiwn!

- Mae'n well eistedd o flaen person yn hytrach nag wrth ei ymyl (ac yn sicr peidiwch ag eistedd y tu ôl iddo). Drwy wneud hyn gallwch ddal ei lygaid. Bydd rhaid i chi fod ar yr un lefel hefyd, mae'n amlwg.
- Sicrhewch fod y person yn gallu eich gweld a'ch clywed yn dda – yn gwisgo sbectol os yw'n gwneud fel arfer a'i declyn clywed yn gweithio.
- Gwrandewch. Dylech ei gwneud hi'n amlwg eich bod wedi dewis bod yno gyda'r person, ac mai amser iddo yntau yw hwn.
- Sicrhewch fod eich gwedd a'ch goslef yn ei annog. Gallech roi cynnig ar ddal llaw'r person i'w gysuro, os bydd hyn yn teimlo'n briodol.
- Os oes tawelwch, peidiwch â'i lenwi â mân siarad – gallai hynny dorri ar draws ymdrechion y llall i hel meddyliau a ffurfio geiriau. Soniodd y ddynes honno a ddywedodd mai geiriau ydym ni, fod gen i 'lonyddwch distawrwydd, sy'n gwrando ac yn parhau'.

- Pan fydd y person arall yn cael trafferth, peidiwch â gorffen ei frawddegau. Gadewch iddo siarad, waeth pa mor araf ydyw.
- Peidiwch â'i annog yn ddifeddwl i hel atgofion – efallai nad yw'n awyddus i drafod y gorffennol.
- Defnyddiwch frawddegau syml a byr pan fyddwch chi'n siarad.
- Ceisiwch osgoi cwestiynau sy'n debygol o amlygu ffaeleddau'r cof (neu rai a allai swnio'n sarhaus!)
- Ceisiwch feddwl am destun sydd o ddiddordeb i'r ddau ohonoch, gan ddefnyddio pethau megis ffotograffau, eitemau, darn o gerddoriaeth neu ffilm, i ysgogi sgwrs – ond peidiwch â mynnu cael ymateb.

Weithiau, bydd pobl sy'n cael trafferth â'u cof yn tueddu i ofyn yr un cwestiwn dro ar ôl tro. Gall hyn flino'r gwrandäwr yn ofnadwy. Gan na ddylech anwybyddu'r person ar ôl i chi ei ateb, efallai mai'r strategaeth orau fyddai datblygu'r ateb i drafod rhai o'r agweddau eraill mae'r cwestiwn yn eu hawgrymu. Felly gallech gael sgwrs iawn wedyn. Ambell dro, bydd gofyn i chi gyfeirio'r cwestiwn i faes gwahanol, trwy gynnig ysgogiad sy'n torri'r patrwm o ailadrodd.

Nid wy'n credu bod cynnig rhywbeth i ddenu sylw oddi ar destun neu batrwm ailadrodd yn anfoesol, ond rhaid ymatal rhag dweud celwyddau. Mae hynny'n dinistrio perthynas sy'n ddibynnol ar ymddiriedaeth a gall person ddrysu'n waeth pan fydd yn cael atebion gwahanol gan bobl wahanol. Efallai y bydd lefel ymwybyddiaeth yr unigolyn yn amrywio gydag amser hefyd, gan arwain at ragor o ddryswch. Y peth callaf yw wynebu'r cwestiwn a cheisio deall y rheswm drosto. Yna, bydd modd i chi geisio trafod y teimladau a barodd iddo ofyn y cwestiwn.

Un nodwedd gyffredin arall yw pan fydd person yn cyfeirio ato'i hun yn y trydydd person. Wrth adrodd hanes bywyd Christophe, byddai Kate Grillet yn dechrau trwy ddweud 'Un tro...' Byddai yntau'n ateb wedyn, 'Mae hynna'n swnio fel Christophe'. Wrth sôn amdano'i hun yn hoffi ymolchi, byddai'n dweud yn aml: 'Mae o'n hoffi cael bath cynnes.'

Rhan Dau Lleisiau eraill

Mae dementia ar Larry Rose ac yma mae'n egluro beth ddylai rhai sy'n cyfathrebu ag o ei wneud:

> Trwy ganmol, annog, a dangos hoffter gallwch wneud cryn dipyn i dawelu meddwl rhywun sydd â chlefyd Alzheimer. Rwy'n gwybod hynny o brofiad. Pan fydda i'n siarad â rhywun sy'n siarad yn aneglur neu heb ddefnyddio brawddegau uniongyrchol, yn defnyddio bratiaith, yn anfodlon ailadrodd ei eiriau ac nad yw'n defnyddio goslef sy'n gynnes ac yn dangos empathi, mae hyn yn tarfu arna i, hyd yn oed yn fy nychryn.

Dyma ran o sgwrs Helen Finch a minnau yn trafod lefelau o ddealltwriaeth:

> JOHN: Rydych chi'n adnabod eich mam mor dda, ydych chi'n credu ei bod hi'n eich deall chi?
>
> HELEN: Mae'n anodd dweud weithiau, felly mae hynny'n broblem. Rwy'n gobeithio 'mod i'n tueddu i gymryd ei bod hi'n deall mwy, yn hytrach na llai.
>
> JOHN: Rwy'n tybio bod dwy ffordd o edrych ar hyn. Byddai rhai'n cymryd, gan fod dementia'n dwyn gallu deallusol person oddi arno, nad yw'n gallu deall. Ac eraill yn tueddu i ddefnyddio'r 'fel petai' – maen nhw'n dweud ei bod yn rhaid i ni barhau 'fel petai' pobl yn deall mwy nag y maen nhw'n gallu'i ddangos.
>
> HELEN: Dwi'n cytuno â'r ail safbwynt. Ond mae'n anodd, oherwydd eich bod yn sylweddoli efallai'ch bod yn gwastraffu'ch amser,

neu'n creu rhagor o drafferthion i chi'ch hunan hyd yn oed ac yn rhoi straen arni hi. Does dim modd gwybod yn bendant. Ond rwy'n credu os ydych chi'n llwyddo i gael sgwrs yn iawn weithiau, mae'n werth y drafferth. Un o'r pethau rwyf wedi'u dysgu o fod â pherthynas agos â dementia yw bod angen i chi fod yn ddigon dewr i fentro.

Mae Michael Verde yn llywydd sefydliad yn Chicago o'r enw Memory Bridge ac mae'n cynnig y cyngor a ganlyn:

> Y tro nesaf y byddwch chi'n cyfathrebu â rhywun nad yw ar ei orau yn wybyddol, cofiwch: 'Nid fi sy'n bwysig yn y sgwrs hon. Mae'r sgwrs hon yn ymwneud â rhywun sy'n ceisio cysylltu mewn ffordd na fydd o reidrwydd yn gwasanaethu buddiannau neu anghenion fy ego i. Rwyf i am fynd lle mae dy anghenion di'n mynd â thi. Mi fyddaf gyda thi yn y fan honno, ble bynnag a sut bynnag y bo. Rwyf am adael i fy ego ddiflannu rŵan. Rwy'n mynd i dy garu di yn dy ddelwedd di yn hytrach na cheisio dy ail-greu di yn fy un i.'

Nodyn i gloi

'Yn y dechreuad yr oedd y gair,' meddai'r Beibl ac rydym ni'n sicr yn rhoi pwyslais mawr ar fod yn rhugl yn ein mamiaith. Pan fydd person yn parhau i allu defnyddio geiriau i gyfleu meddyliau a theimladau, dylem ymdrechu i gyfathrebu ag o ar lafar, a dathlu ei ymdrechion yntau, sy'n greadigol iawn yn aml.

Efallai ei bod yn werth cofio geiriau Sue Sweeney yn yr achosion hyn ac ymdrechu i 'wrando gyda chlustiau'r galon.'

Pennod 9 **Dysgu'r iaith heb eiriau**

Rhan Un

Rydym ni i gyd yn adnabod y teimlad hwnnw pan fydd geiriau'n mynd ar goll. Weithiau, wrth gyfathrebu â rhywun sydd â dementia, gallwn ni deimlo ar goll *heb* eiriau. Ambell dro, wrth ymweld â rhywun mewn cartref gofal neu ysbyty, byddwn yn ei weld yn syllu i unlle. Ni fydd gennym syniad beth i'w wneud na sut i gyfathrebu ag o. Byddwn yn cynnig ystrydebau, heb gael ateb. Ar ôl ychydig, byddwn yn dechrau meddwl pam y daethom yno o gwbl a beth ddylem ni ei wneud nesaf. Wel, efallai mai'r ateb yw dechrau defnyddio popeth rydym yn ei wybod am gyfathrebu dieiriau.

Os ydych chi'n gefnogwr, o fewn y teulu neu'r tu allan iddo, efallai y byddwch wedi gweld lleferydd person yn dirywio. Bydd hyn wedi rhoi amser a chyfle i chi ymarfer eich sgiliau yn y maes hwn, o ran dehongli yn ogystal ag o ran eich mynegi eich hun.

Anogai'r seicolegydd, Tom Kitwood, ni i gyd i loywi ein 'hiaith heb eiriau'. Awgrymai hefyd y gallai'r rhai sydd â dementia fod yn well na ni am siarad yr iaith honno. Efallai eu bod, o reidrwydd, wedi gorfod dysgu 'darllen' ein hymddygiad ni a'n hateb ni yn huawdl yn yr un ffordd. Os yw hynny'n wir, mae'n destun llawenhau: rydym wedi dod ar draws un o'r meysydd sy'n rhoi mantais i bobl â dementia dros y gweddill ohonom.

Rhaid cyfaddef fy mod i wedi teimlo'n anghyfforddus ambell dro o deimlo bod rhywun sydd â dementia yn gallu gweld trwof i. Rwy'n ofni nad yw fy nhriciau bychain wedi gweithio o gwbl a bod fy nghymhelliad wedi bod yn amlwg o'r dechrau. Dro arall, byddaf i'n gweld trwy'r person ac yn ei weld yn ei hanfod. Dywedodd un ddynes oedd â'r cyflwr 'Mi fetia i nad ydych chi erioed wedi bod mor agos at Natur o'r blaen.' Tybiais fod hynny'n golygu nad oedd hi'n cuddio dim byd. Efallai na fyddwn ni'n gyfforddus â'r hyn sy'n cael ei ddatgelu, neu efallai y byddwn ni, ond mae'n rhaid cydnabod mai yn yr iaith ddieiriau y ceir y gwir pan fydd lleferydd yn dirywio.

Yn y fan hon, rwy'n credu y bydd o gymorth i restru'r 'eirfa' ddieiriau bosibl. Efallai y cewch chi'ch synnu gan ei hamrywiaeth a'i hystod:

- Defnyddio'r llygaid, gan gynnwys dal llygaid a syllu
- Mynegiant wyneb
- Llais, gan gynnwys goslef, traw, uchder, cyflymder a rhythm siarad
- Cyffwrdd a chysylltiadau corfforol
- Symudiadau'r corff a'i osgo
- Safle'r corff o'i gymharu â chorff rhywun arall
- Gwedd, dillad, ac arogl
- Amseru a cherdded yn ôl a blaen
- Mynegiant creadigol, gan gynnwys cerddoriaeth, arlunio, dawnsio
- Yn ogystal â chyfuniadau o'r rhain oll!

Un agwedd ar gyfathrebu dieiriau a allai fod yn gwbl allweddol yw adlewyrchu, sef efelychu'r hyn mae rhywun yn ei ddweud, neu'r synau a'r symudiadau mae'n eu gwneud, mewn modd cadarnhaol a chefnogol. Mae'n ddull o ddweud 'dwi'n gwylio ac yn gwrando, dwi yma ac yn ceisio deall'. Wrth gwrs, efallai na fyddwch chi'n deall yn llwyr, ond rydych chi'n deall o ran eich bod chi'n canolbwyntio ar y person a'i ymdrech i gyfathrebu ac yn cydnabod hynny. Mae'n ffordd o annog ac yn aml bydd yn arwain at ymgais arall i gyfleu'r neges. Os na fyddwch yn llwyddo i ymateb yn y ffordd yma gallai'r ymgais i gyfathrebu fethu ar y cynnig cyntaf.

Ydych chi erioed wedi ystyried y gall cerdded fod yn ddull o gyfathrebu hefyd? Yn sicr, nid mater o deithio o'r naill le i'r llall yn unig ydyw. Gallwn ddysgu llawer o'r mannau lle'r ydym yn dewis cerdded a'r ffyrdd llawn mynegiant sydd gennym o wneud hynny. Yn anffodus, pan fydd pobl sydd â dementia yn penderfynu mynd am dro, dywedir eu bod yn 'crwydro'. Gallwch eu gweld yn mynd a dod o gwmpas wardiau ysbytai ac ar goridorau cartrefi gofal, weithiau ar eu pennau eu hunain, dro arall mewn parau neu mewn grŵp. Efallai mai diffyg gweithgareddau ystyrlon yw'r rheswm am hyn, neu eu bod yn chwilio am ffordd allan. Posibilrwydd arall yw eu bod yn ymateb i rwystredigaeth fewnol – eu hanallu i leddfu tensiynau neu ddryswch. Mae pob un ohonom yn gwybod bod ychydig o ymarfer corff yn gallu gwneud byd o les pan fyddwn yn wynebu her neu broblem anodd, gall dawelu'r meddwl ac efallai cynnig ateb i ni. Mae modd i ni gyfathrebu â pherson yn ei symudiadau diddiwedd, diflino, drwy fod yn gwmni iddo, yn gorfforol ac yn feddyliol: mae cwmni a thosturi yn rhoddion gwerthfawr dros ben.

Byddai'n hawdd i mi dreulio gweddill y llyfr yn rhestru enghreifftiau o gyfathrebu dieiriau, ond yn hytrach rwyf am eich cyfeirio at Benodau 13 ac 18 a chynnig dau ddisgrifiad cryno, ac annigonol wrth gwrs, o ddau ddigwyddiad mewn lolfa brysur cartref gofal:

> Daw Bronwen i mewn i'r ystafell i chwilio amdana i, gan fy nhywys i at gadair. Rwy'n gofyn iddi am ganiatâd i eistedd. Mae hi'n ateb 'Cei'.
>
> 'Oes gennych chi rywbeth i'w ddweud wrtha i?' gofynnaf. Mae hi'n codi ei bys at ei gwefus, i ddweud wrtha i am fod yn ddistaw. Rwy'n gwneud yr un fath i ddangos 'mod i wedi deall. Mae hi'n dechrau mwytho braich y gadair, cyn tylino fy llaw a chyffwrdd fy wyneb. Rydym yn edrych i fyw llygaid ein gilydd trwy'r adeg.
>
> Mae hi'n cydio yn fy llaw dde, i fy nghyfarch i ddechrau ond wedyn mae'n troi'n gêm o ysgwyd dwylo yn egnïol. Mae hi'n pwyntio at dusw o flodau ac yna at olygfa trwy'r ffenestr. Mae hi'n nodio, ac yn dweud 'Ie' a dwi innau'n gwneud yr un fath. Rwy'n ceisio efelychu popeth mae hi'n ei wneud, bron heb i mi sylwi.
>
> Yn y pen draw, ar ôl wyth munud o gyfathrebu personol dwys a distaw, a'r ddau ohonom yn ein byd bach ein hunain, mae hi'n rhoi fy nwylo ar y bwrdd. Mae golwg wedi ymlâdd arni ac mae'n cau ei llygaid, ond yna'n eu hagor eto ac yn nodio. 'Ie,' meddai. Gostynga ei llygaid eto. Mae'n murmur, 'Gwych'.
>
> Dim ond wedyn y gwnes i sylweddoli mai Bronwen sydd wedi bod yn rheoli'r rhyngweithio drwy'r amser.
>
> *
>
> Rwy'n mynd i mewn i'r ystafell a chaf fy synnu o weld Jane yn eistedd yn uwch nag arfer yn ei gwely, ei llygaid yn agored led

y pen, yn edrych ar bopeth o'i chwmpas. Rwy'n methu credu hyn: ai hon yw'r un ddynes roeddwn i wedi'i gweld ddwywaith o'r blaen?

Af ati: nid yw hynny'n tarfu arni o gwbl. Estynnaf am stôl, cyn eistedd a'i chyfarch. Mae hi'n gwenu arna i.

I ddechrau, mae ei dwylo o dan y flanced. Rwy'n cofio sut gydiodd hi'n dynn yn fy llaw y tro cynt ac rwy'n awyddus i weld a wnaiff hi hynny eto. Ar ôl rhyw ddeng munud, rwy'n estyn am ei llaw ac yn dechrau'i mwytho.

Drwy gydol hyn mae hi'n parhau i edrych o'i chwmpas yn fodlon a dedwydd. Nid yw ei thafod yn chwarae yn ei cheg fel roedd hi o'r blaen, ond mae hi'n dawel. Yn ddirybudd, mae hi'n cipio'i llaw oddi wrtha i dan wenu o glust i glust, fel pe bai am ddweud 'Mi ges i ti'n fan'na!'

Ac yna mae rhywbeth mwy rhyfeddol fyth yn digwydd. Rwy'n sylweddoli ei bod hi eisiau edrych arna i, ond ddim tra 'mod i'n edrych i fyw ei llygaid hi. Felly edrychaf i ffwrdd am ryw ddeg eiliad. O gornel fy llygaid rwy'n gweld ei bod hi'n craffu arna i. Yn araf, rwy'n edrych arni eto, gan roi amser iddi edrych draw.

Mae hyn yn digwydd deirgwaith cyn i mi benderfynu chwarae tric arni. Rwy'n edrych yn ôl yn ddirybudd, gan ddal ei llygaid. Mae hi'n rhuo chwerthin, a minnau hefyd, ar y jôc a fu rhyngom.

Rhan Dau Lleisiau eraill

Mae'r ddau ddyfyniad isod yn trafod cyffwrdd. Daw'r cyntaf gan Raymond Tallis, geriatregydd, a'r ail gan Margaret Silcock, gweithiwr cymdeithasol:

> Wrth gyffwrdd, gall llaw lefaru'n uniongyrchol â llaw, ac â llaw yn unig. Am ieithoedd, am ystyron newydd sy'n ymddangos o'r distawrwydd pan fydd llaw yn cyfarfod â llaw, pan fydd y trafodwr dihafal, y chwiliwr gwerth chweil, y cyfathrebwr heb ei ail, yn cyfarfod ag un arall tebyg iddo!

*

> Rwy'n cofio, un tro, cerdded trwy ward ar un o'm hymweliadau arferol ag ysbyty. Estynnodd hen ddynes tuag ataf a chydio yn fy nwylo. Dechreuodd eu troi a'u troi, fel pe bai hi'n eu golchi. Parhaodd hyn am dipyn ac mae'n rhaid 'mod i wedi dechrau tynnu fy nwylo oddi wrthi, oherwydd cydiodd hi ynddyn nhw i ddod â nhw'n nes at ei dwylo hi i barhau â'i gwaith. O'r diwedd, gollyngodd fy nwylo, gan sibrwd yn dawel: 'Diolch... mae hynna'n ddigon'. Beth bynnag a roddais iddi, ni fyddwn wedi gallu ei gynnig mewn unrhyw ffordd arall, rwy'n siŵr.

Yn y dyfyniad nesaf, mae'r therapydd galwedigaethol, Clare Craig, yn disgrifio sut all rhywun gyfathrebu drwy edrychiad yn unig:

> Doedd Jack ddim yn siarad ond doedd dim angen iddo wneud chwaith – roedd ei lygaid yn cyfleu llawer mwy na geiriau. Hiwmor, hwyl, direidi, dwyster, poen, rhwystredigaeth. Ef fyddai'n arwain pob sgwrs rhyngom, gan gyfarwyddo fy symudiadau. Byddwn i'n cerdded i mewn i'r ystafell a byddai'n troi i edrych ar unwaith ar y ffenestr, at waelod y gwely, at y radio, yn fy nghymell i weithredu. Byddwn i'n ateb 'Wyt ti am i mi agor y ffenestr, Jack?' – byddai'n nodio ei ben, yn gwenu. 'Rhagor o ddillad gwely, Jack?' – ni chefais ymateb. 'Neu dynnu'r dillad yn ôl?'... Ac felly y byddai'r sgyrsiau distaw'n parhau.

Therapydd dawns o Awstralia yw Heather Hill. Mae ganddi gyngor doeth ynglŷn â pharhau i symud:

> Rwy'n credu bod cerdded yn ffordd o ymgysylltu unwaith eto. Mae'r traed yn hynod sensitif ac mae llawer o derfynu nerfau ynddyn nhw. Efallai mai pwrpas hyn yw ein symbylu a chadarnhau ein bodolaeth. Hefyd, efallai fod curiad cyson ein traed wrth daro'r llawr yn cynnig rhythm cyson sy'n ein cysuro a'r teimlad o gael ein dal o fewn llif rheolaidd symudiad. Gall cerdded ein helpu i feddwl ond gall hefyd ein symbylu a'n hatgoffa o'n bodolaeth.

Caroline Brown sydd piau'r dyfyniad olaf. Rydych chi eisoes wedi cyfarfod â hi yn yr adran Lleisiau eraill ym Mhennod 2. Mae ei mam mewn cartref gofal:

> Dwi newydd ddychwelyd o fod yn helpu fy annwyl fam gyda'i brecwast. Ni thynnodd ei llygaid oddi arna i ac roedd yn edrych fel pe bai rhywun wedi cynnau fflam ynddyn nhw. Roedd hi mor hardd – sut all neb brofi cymaint heb ddefnyddio geiriau? Rwy'n lwcus iawn!

Nodyn i gloi

Pan fydd iaith eiriol wedi dirywio, bydd cyfathrebu dieiriau yn dod yn bwysicach. Mae fel petai sawl un yn datblygu sgiliau mynegi a dehongli yn y maes hwn ac mae angen i ni ganolbwyntio ar wella ein gallu ni os ydym am i'r berthynas â nhw barhau a datblygu. Os byddwn ni'n dyfalbarhau, byddwn yn cael ein gwobrwyo: mae'r diwinydd Ronald Rolheiser yn cyfeirio at 'iaith y cofleidio distaw'.

Pennod 10 **Adrodd straeon**

Rhan Un

Mae pob un ohonom yn teimlo'r angen i sôn am ein profiadau; mae'n ffordd o gadarnhau ein bod yn bwysig i ni'n hunain ac yn gyfle i ni ddarbwyllo eraill bod ystyr i'n bywydau.

Dywedir yn aml fod yr ysfa i ddeall ein gorffennol yn cryfhau wrth i ni fynd yn hŷn: daw'r syniad o greu rhyw grynodeb ohono yn bwysig i ni. Mae hyn yn wir hefyd am y rhai sydd â dementia, ond bod angen ychydig o gymorth arnyn nhw i gyflawni hynny.

Mae rhai'n llwyddo i rannu eu straeon. Mae rhai'n adrodd eu straeon iddyn nhw eu hunain, yn uchel efallai oherwydd nad oes neb ar gael i wrando arnyn nhw. Mae eraill yn rhoi'r ffidil yn y to yn gyfan gwbl ar ôl methu dod o hyd i neb i wrando arnyn nhw.

Nid yw gwrando'n weithred oddefol. Er eich bod chi'n ceisio peidio â tharfu, gwrthddweud na phrocio gormod, mae gofyn gwrando'n astud gyda chwilfrydedd yn ogystal â pharch. Dylech amlygu'r ffaith mai eu hamser nhw yw'r cyfnod hwn a pheidiwch â gadael i dasgau eraill ddwyn eich sylw. Os byddwch yn teimlo'n flinedig, yn gorfforol ac yn emosiynol, ar ddiwedd y sesiwn, dyna arwydd eich bod wedi gwneud eich gorau glas.

I wrando'n astud, dylech wneud y canlynol:

- Gwylio'r llygaid a'r wyneb am arwyddion o fynegiant ac iaith y corff.
- Gwrando ar oslef yr iaith a ddefnyddir. Gallwch ddysgu cymaint o wneud hyn ag a gewch o wrando ar y geiriau. Yn wir, os bydd y brawddegau'n ddryslyd efallai mai'r rhain fydd yr unig beth allai'ch helpu i ddeall.
- Ymateb yn chwim i newidiadau mewn sylw neu hwyliau. Er nad oes modd i chi ragweld popeth, byddwch yn sicr o golli'r person os byddwch yn cael eich gadael ar ôl (mae hyn yn wir yn llythrennol os bydd y person yn cerdded wrth siarad – efallai y bydd angen i chi gerdded gyda'r person i gynnal y sgwrs).
- Cysurwch y person yn gorfforol yn ôl yr angen – bydd hyn yn aml yn golygu cydio yn ei ddwylo. Mae hyn yn ffordd o ddangos diddordeb a bydd pa mor galed y bydd person yn gwasgu'ch llaw chi yn dweud llawer amdano.

Nid oes angen cynllunio fawr ddim ar gyfer y sesiynau hyn. Gyda digon o ymarfer byddwch yn datblygu hyder ac yn medru cynnal sgwrs fyrfyfyr yn reddfol.

Weithiau, bydd angen ysgogi person i ddechrau. Gall ffotograff neu eitem neu ddarn o gerddoriaeth fod yn ddefnyddiol wrth wneud hyn. Does dim angen iddyn nhw fod yn eitemau penodol ar gyfer hel atgofion.

Efallai y byddwch yn dymuno cofnodi'r straeon, naill ai drwy ysgrifennu, recordio sain ac wedyn ysgrifennu'r stori, neu wneud fideo. Nid wyf erioed wedi gweld bod hynny'n ffrwyno'r person. Yn hytrach mae'n peri i'r person deimlo'n bwysig ac yn ei sicrhau eich bod yn ddidwyll.

Weithiau bydd y person yn mynegi'i hun ar ffurf 'llif ymwybod' sef y geiriau'n un llif parhaus sy'n symud o'r naill destun i'r llall heb unrhyw gysylltiad amlwg â'i gilydd. Neu efallai y bydd yn rhoi cyfres o drosiadau dilyffethair. Dyma ddisgrifiad Beth Shirley Bough, dynes o Awstralia sy'n cefnogi ei ffrind Reg, o achos o'r fath:

> Er cywilydd i mi, roeddwn i'n rhy araf yn aml i godi pwnc llosg y dydd. Pan oeddwn i wedi dysgu ystyried ei fod yn sôn am ddigwyddiadau mewn breuddwyd, pan oeddwn i'n gwrando am ddelweddau a'u hystyried o ddifrif, roeddem yn gallu trafod pethau dwys iawn.

Er ei bod hi'n anodd dehongli monologau o'r fath weithiau, rhaid eu gwerthfawrogi o hyd.

Mae angen cynulleidfa ar bob storïwr, ond mae rhai'n ddigon bodlon adrodd stori iddyn nhw'u hunain os nad oes cynulleidfa ar gael. Rwyf wedi cyfarfod â sawl un sy'n sgwrsio'n ddi-baid er nad oes neb yn gwrando arno. Dylai hyn ein hatgoffa bod adrodd stori'n weithred gymdeithasol yn ei hanfod. Er na ddylech chi dorri ar ei draws na chyfrannu at y stori, ac er bod y naratif yn ddryslyd neu'n ailadroddus, mae eich presenoldeb chi'n gwbl allweddol: mae nodio a chytuno yn rhan hanfodol o'r broses.

Ar hyd y blynyddoedd, rwyf wedi cael y fraint o ofalu am sawl stori a dyma ddwy enghraifft fer sydd wedi'u dethol o straeon hirach o lawer. Roedd Lily yn siarad pymtheg y dwsin a phan gofnodais y stori ar bapur (a'i recordio) penderfynais ei chadw'n un paragraff hir, i gadw natur frysiog y darn:

> Mi wna i gynnig teitl i'r darn yma fy hun – 'Dawn Dweud'! Mae'n sôn am bobl sy'n gallu siarad yn dda ac â digon o

> brofiad ohono. Fyddwn i ddim yn dweud bod gen i hynny chwaith – mi fyddai hynny'n gysetlyd. Paid â deffro'r gwaethaf ynof i, neu mi fydd y ddau ohonom ni'n difaru. 'Dweun Dawd' – mi fyddai hwnnw'n deitl gwell! Roedd gen i chwaer, Elaine, roedd hi'n iau na fi. Aeth y ddwy ohonom i ysgol St Henry ac yna i ysgol St Brigid am wersi. Roeddwn i'n well yn chwarae gyda bat a phêl. Roedd fy myd mewnol i'n dda. Fyddwn i byth wedi credu y gallwn i eistedd yma a pharablu cymaint am fy addysg. Doedd fy nhad ddim yn meddwl y dylai fy ngorfodi i astudio, ddyn annwyl. Dwyt ti ddim yn fy mrysio, rwy'n gwybod 'mod i eisiau gwneud hyn. Es i i'r diwydiant arlwyo am mai dyna oedd y diwydiant lleol. Cadena i ddechrau arni. Roedd fy mam yn arlwyo, gallai unrhyw un arlwyo. Mi fyddai fy nghyfoedion yn chwerthin o 'nghlywed i'n clebran fel hyn, mi fydden nhw'n dweud 'mod i'n dipyn o ges!

Mae'n debyg eich bod wedi sylwi bod Lily yn ymwybodol iawn o'r hyn mae hi'n ei ddweud: mae rhyw sylw ar ei sefyllfa bresennol yn dilyn bron bob manylyn. Ni fyddai neb yn amau gwirionedd ei stori. Ond yn achos Oliver, mae'n amlwg bod elfen ffantasi gref i'w stori o. Mae'r ddau'n defnyddio hiwmor, ac mae Oliver hefyd yn gwybod y gallai ei ddyfeisgarwch wneud i mi chwerthin:

> Dwi'n dipyn o ddigrifwr, ac mi wna i esbonio pam. Dyma fi'n mynd i rywle yn y dre. Ac mae 'na ddyn yno'n gorwedd ar y llawr yn noeth. Ac mae 'na ddyn arall yn sefyll uwch ei ben o. Ac rwy'n gweld bod y ddau ohonyn nhw'n ddynion mawr. Dwi'n mynd oddi yno, ond pan dwi'n dod yn ôl bum munud wedyn mae'r dyn noeth wedi cael ei drywanu deirgwaith drwy'i blydi galon! Felly rwy'n dweud wrth yr heddlu ac maen nhw'n ei ddal o. Maen nhw'n fodlon iawn efo fi, wir i chi. Petaet ti'n dweud y stori yna wrth unrhyw un fydden nhw byth yn dy goelio di!

Pa un o'r ddwy stori sydd fwyaf gwerthfawr? Yn fy marn i, mae'r ddwy yr un mor bwysig â'i gilydd i'r sawl sy'n eu hadrodd. Mae'n amlwg o'r geiriau bod y broses yn bwysig i Lily. Mae Oliver yn awgrymu'r pwysigrwydd hwnnw drwy fod yn brif gymeriad ei ddrama. Mae'r ddau yn cwblhau'r dasg hollbwysig o gadarnhau eu hymdeimlad o hunaniaeth, tasg mae'n rhaid ei hailadrodd dro ar ôl tro.

Rhan Dau Lleisiau eraill

Dyma farn yr awdur a'r dramodydd Michael Frayn. Yn fy marn i, mae ei eiriau'n berthnasol i bawb:

> Dyma ein ffordd o geisio deall y byd – trwy adrodd straeon amdano, i ni'n hunain ac i eraill. Mae'n siŵr bod pobl wedi dechrau adrodd straeon ymhell cyn iddyn nhw gofnodi digwyddiadau mewn ffordd lythrennol a manwl gywir. Mae'n debyg eu bod yn mynd i barhau i gofnodi, rywsut neu'i gilydd, tra bo bywyd yn parhau... Dyma beth all stori ei awgrymu – ymddygiad pobl, nid fel darnau mân ym mheiriant amgylchiadau, ond fel bodau annibynnol, ar sail yr hyn maen nhw yn ei ganfod a'i ddeall, a'r hyn maen nhw'n ei ddyfeisio iddyn nhw'u hunain.

Dyma brofiad Jane Crisp, awdur a chefnogwr:

> Mae ffurf naratif iawn i straeon fy mam amdani hi'i hun, ond oherwydd bod clefyd Alzheimer arni, does dim llawer o wirionedd ynddyn nhw. Cyfuniad o ddarnau wedi'u codi ar hap o straeon go iawn, ffuglen a ffantasïau ydyn nhw'n bennaf. Ond bydd hyn yn llai o broblem os ystyriwn ni straeon fel ei rhai hi yn union fel unrhyw stori arall – gan mai dyna ydyn nhw yn y bôn – a'u barnu yn yr un modd ag y byddem yn barnu stori mewn nofel neu ffilm, neu stori gan ffrind. Nid gwirionedd llythrennol na chywirdeb manylion fyddai'r meini prawf perthnasol wedyn ond agweddau fel pa mor gredadwy yw'r stori, y pleser a'r mwynhad a gaiff yr adroddwr a'r gynulleidfa, a nod cyffredinol y stori – ei neges waelodol neu ei hystyron thematig a throsiadol. Yn yr un modd, trwy feddwl am bobl fel fy mam yn adroddwyr straeon, gallwn

ddechrau eu hystyried yn bobl â rhan ddilys yn gymdeithasol, yn hytrach na phobl sy'n gwneud dim ond drysu'r ffeithiau. Hefyd gallwn ddechrau deall yn well yr hyn maen nhw'n ei wneud a'r straeon maen nhw'n eu hadrodd. Ond os cadwn ni at faint o wirionedd sydd yn y stori yn brif faen prawf, rydym yn rhoi ein storïwr dan gryn anfantais o'r dechrau ac yn ein cyfyngu ein hunain i ymateb yn negyddol iddo.

Nodyn i gloi

Mae straeon yn rhan annatod o fywyd a pherthynas ac mae hynny'n wir pa un a oes dementia ar rywun ai peidio. Mae angen i ni ddod yn wrandawyr ac yn anogwyr da, gan beidio â barnu na thorri ar draws. Dywedodd Lily, y daethom ar ei thraws yn gynharach yn y bennod, 'Mae'n rhaid i mi greu stori i mi fy hun'.

Cynigia Jane Crisp frawddeg i grynhoi'r broses:

> Strategaeth gyffredinol yw'r strategaeth gyntaf ac mae'r lleill i gyd yn dibynnu arni – gwerthfawrogi bod y person rydym ni'n gofalu amdano yn parhau i ryngweithio â ni.

Pennod 11 **Chwilio am yr ysbrydol**

Rhan Un

Pan ges i'r strôc
cododd y teimlad trwy fy nghorff
fel ysgafnder
fel pe bawn i'n gwmwl fry
fel pe bawn i'n nofio ar y gwynt
ac roeddwn i'n mynd yn ysgafnach o hyd

Ers hynny
nid oes ofn marw arnaf
am 'mod i'n gwybod mai dyna
sut beth ydyw

Paid â'i ofni
roedd yn deimlad hyfryd

Dyna pryd
ddechreuodd fy ail fywyd
Cefais ail gyfle gan Dduw i
wneud eraill yn hapus

*

Cymaint ddwywaith eto â'r hyn sy'n bwysig, yn fy marn i. Erbyn hyn, mae fy nghuddfan yn fan y gallaf ymestyn ati a dianc iddi am ychydig.

I mi, mae fel petai'r ddau ddyfyniad uchod gan bobl â dementia yn mynegi cyflyrau ysbrydol. Rwyf wedi gosod geiriau Sylvia Roberts ar ffurf cerdd. Mae ganddi ffydd amlwg, sydd wedi'i dwysáu gan ei chyflwr corfforol. Efallai fod awdur dienw yr ail ddyfyniad yn cyfeirio at ei hatgofion. Yr argraff a gefais i o'r sgwrs oedd ei bod yn cyfeirio at fyd preifat o fyfyrio. Dro arall ches i ddim mynd at y byd hwnnw o gwbl.

Un o agweddau mwyaf preifat rhywun yw ei agwedd ysbrydol ac mae fel petai'r ddwy brif nodwedd ganlynol yn perthyn iddi: ymlyniad at system ffydd benodol ac agwedd athronyddol unigol. Rhaid rhoi'r un parch i'r ddwy ddewis o ffordd o fyw.

Mae casgliad penodol o gredoau wedi tywys meddyliau rhai pobl drwy gydol eu bywydau. Credoau Cristnogol sydd fwyaf amlwg yn y Gorllewin. Bydd pob profiad newydd ym mywydau'r unigolion hyn yn tueddu i gael ei gyfeirio at yr egwyddorion a'r agweddau at fywyd sy'n deillio o'r gred honno. Gall ffydd gynnig ystyr, safbwynt a chyd-destun i fywyd ond mae dementia'n gallu herio'r gred gadarnaf.

Un o'r cofnodion cynharaf yn y person cyntaf i gael ei gyhoeddi oedd cofnod y gweinidog o America, Robert Davis – gŵr o gred ddiwyro a brwdfrydedd dros ei ffydd. Ei ymateb cyntaf i'r cyflwr oedd anobaith a phanig. Wedyn gwelodd oleuni: daeth Iesu ato a dweud wrtho am roi'r gorau i frwydro yn erbyn y cyflwr.

Ymateb arall a geir o bryd i'w gilydd hefyd yw rhywun yn gwrthod ei ffydd. Gall yr unigolyn ystyried cael dementia yn ymosodiad personol, gan gyhuddo Duw o fod wedi'i adael. Yr unig ffordd o ateb rhywun sy'n ymateb felly yw pwysleisio agweddau positif yn amyneddgar. Nid yw'n help chwaith os nad yw'r cefnogwr yn rhannu'r ffydd mae'r person yn ei hamau.

Mae Susan Miller, awdur o America, o'r farn fod ffydd gadarn ei thad wedi bod o fudd iddo. Ysgrifennodd y canlynol amdano:

> Roedd yn ystyried y salwch yma heb unrhyw fath o ego, yn union **heb** y synnwyr o hunaniaeth a galar dros golli hunaniaeth a fyddai'n fy mlino i pe bawn i'n dod i wybod bod clefyd Alzheimer arna i.

Bydd sawl un yn teimlo bod ganddo anghenion ysbrydol mae'n rhaid eu diwallu, er nad oes ganddyn nhw unrhyw gred benodol. Mae digwyddiadau mawr bywyd – genedigaeth, cariad, colled, marwolaeth – yn ennyn teimladau ym mhob un ohonom ac maen nhw'n ddigwyddiadau sydd â goblygiadau ysbrydol cryf, pa un a ydych am gydnabod hynny ai peidio. Does bosib erbyn hyn y dylid ychwanegu dementia, o ran sut mae'r unigolyn a'i gefnogwyr yn ei brofi, at y rhestr o ddigwyddiadau arwyddocaol a rennir ym mywydau nifer mawr o bobl.

Dyma Christine Bryden yn galw ar y rhai sydd heb y cyflwr i ehangu'r drafodaeth, a hynny ar ran y rhai sydd â'r cyflwr:

> Nid dim ond pa grefydd rydym yn ei dilyn yw ysbrydolrwydd, mae'n bwysig i chi ein helpu ni i ailgysylltu â'r hyn sydd wedi rhoi ystyr i ni wrth i ni deithio'n ddyfnach i graidd ein bodolaeth, i mewn i'n hysbryd.

Yn fy marn i, y cwestiwn allweddol yw: a yw dementia'n gallu newid y byd ysbrydol yn ogystal â'r byd corfforol a'r byd meddyliol? Mae'n bosibl. Wrth i'r gallu rhesymegol ddirywio, bydd yn rhyddhau gallu newydd i ddatblygu'n ysbrydol mewn rhai unigolion. Yn sicr, mae'n ein gorfodi i werthfawrogi hanfodion person yn hytrach na defnyddio'r gwerthoedd eraill sy'n hollbwysig mewn cymdeithas (rhai economaidd, gwleidyddol a deallusol). Mae'r gwerthoedd hyn yn tueddu i guddio rhinweddau fel gonestrwydd, didwylledd ac eglurder. Tybed a oes modd i ni gyfaddef y gallai'r rhai sydd â'r cyflwr ein helpu i adnabod y gwerthoedd sylfaenol sydd ym mhob un ohonom a'u trysori? Mae cymaint o bobl sydd â dementia a'u cefnogwyr wedi sôn am brofiadau arbennig, na allwn anwybyddu'r ffenomenon hwn.

Rwyf eisoes wedi awgrymu yn y llyfr hwn fy mod i'n credu ein bod ni'n wynebu un o ddirgelion mwyaf bywyd wrth wynebu dementia.

Ym mhob cymdeithas, trwy'n holl hanes, gwaith yr ysbrydol yw wynebu dirgelion fel y rhain. Mae gwyddoniaeth hefyd yn mentro i'r anhysbys ar hyn o bryd mewn ymgais i ateb heriau corfforol y cyflwr. Ond ni ddylid anwybyddu'r hyn mae agweddau ysbrydol yn ei gynnig i ni chwaith, a dylem wrando ar yr hyn all pobl eu hunain gyfrannu tuag at ein dealltwriaeth.

Rhan Dau Lleisiau eraill

Dyma farn dau gefnogwr, Beverly Murphy a Deborah Shouse:

> Os ydych chi'n credu mewn bodolaeth enaid, rhaid i chi gredu nad yw clefyd Alzheimer yn effeithio arno, yn yr un ffordd nad yw canser yn effeithio arno. Efallai fod ymwybyddiaeth yr enaid o'r bywyd sydd o'i gwmpas yn codi uwchlaw'r corff a'r gallu i gyfathrebu... Efallai, dim ond efallai, fod gan ein pobl ni'r gallu unigryw i fyw mewn dau fyd – ein byd ni yn ogystal â byd arall sy'n fwy rhydd, byd sy'n cynnig dirnadaeth ac ymwybyddiaeth sydd y tu hwnt i'n dealltwriaeth ni.

*

> Rwy'n suddo i mewn i wyneb fy mam fel pe bai hi'n fyfyrdod. Rydym yn gwenu ar ein gilydd am hanner awr – dydym ni erioed wedi gwneud hyn o'r blaen. Byddai hyn wedi bod yn rhy ddwys, yn rhy bersonol yn ein bywyd cynharach, rhesymegol gyda'n gilydd. Yna bydd ei llygaid yn cau'n dawel. Rwy'n teimlo 'mod i wedi bod ar encil ysbrydol. Rwy'n teimlo gobaith a 'mod i wedi cael fy adnewyddu.

A dyma fyfyrdod arall gan Caroline Brown, a gyfrannodd yn gofiadwy iawn at Benodau 2 a 9:

> Saith mlynedd o heriau a rhoddion dementia. Mae Mam yng nghyfnod datblygedig clefyd Alzheimer. Roedd dementia fasgwlar ar Dad a bu farw o ganser y coluddyn ym mis Tachwedd 2012. Efallai gallwch ddychmygu'r 'PAM?' yn fy mywyd – y cwestiynau heb eu hateb a oedd yn llenwi fy nghalon a'm meddwl, gan fy mlino'n lân. Bu bron i'r holl fusnes dementia fy llyncu'n gyfan, ond yr eironi yw mai'r rhodd o ffydd a gefais gan y ddau berson yma a barodd i fy ysbryd ddatblygu er gwaetha'r diagnosis.
>
> Gofal diwedd oes a arweiniodd at y sgwrs fwyaf ysbrydol a ges i a fy nhad erioed. Yntau'n synhwyro ac yn rhoi'r hyder i mi ddweud wrtho ei bod hi'n iawn iddo fynd at ei Greawdwr. Bu'r ddau ohonom yn dal dwylo'n gilydd gan ailadrodd gweddi Henffych Fair dro ar ôl tro. Sibrydodd wrthyf i ei fod o'n barod. Bu farw fore trannoeth. Ces ryw ryddid wedyn i ddarganfod perthynas gwbl sanctaidd gyda fy mam. Fe ddewch ar draws ysbrydolrwydd yn y mannau mwyaf annisgwyl. Yn enwedig o fewn dementia... rwy'n eich gwahodd i chwilio amdano.

A rhagor o eiriau Christine Bryden:

> Dyma fy hanfod unigryw, dyma sydd wrth fy nghraidd, a dyma fydd yn parhau gyda mi hyd y diwedd. Efallai y byddaf yn nes ata i fy 'hun' na fues i erioed.

Nodyn i gloi

Mae angen i ni fod yn ymwybodol o'r newidiadau allai ddigwydd i'r person, o ran ei gred draddodiadol yn ogystal â'i ymwybyddiaeth ysbrydol ehangach. Weithiau gall hyn arwain at ragweld byd arall, dro arall bydd ym mhresennol perthynas sydd wedi dwysáu. Dywedodd dynes wrthyf i un tro:

> O, mi wnes i edrych ar yr awyr a'i weld yn sgleinio yno a dywedais 'Dyna ydi Bywyd'.
>
> Wyt ti am fynd â mi i weld yr haul?

Pennod 12 **Ein synhwyrau**

Rhan Un

Roedd un ddynes y bûm yn siarad â hi yn gweld pethau'n hynod o fanwl. Dyma ei hymateb hi i'r ystafell lle'r oedd y ddau ohonom yn eistedd:

> Ydi'r ystafell yma'n cael ei newid weithiau? Mae rhai pethau wedi'u rhoi at ei gilydd mewn ffordd mor dda, byddai'n bechod mawr eu colli. Dylai rhywun dynnu llun ohonyn nhw cyn eu newid nhw neu efallai y byddan nhw wedi mynd am byth. Ond wrth gwrs, mae angen amrywiaeth hefyd, 'does? Fel arall fydd dim ar gael i allu cymharu. Dylid ffilmio'r ystafell yma cyn y bydd hi'n rhy hwyr.

Oes gennych chi hoff synnwyr? Ai edrych ar bethau (blodau, lluniau, tirweddau) sydd orau gennych chi, ai gwrando (ar sgyrsiau pobl eraill, synau'r nos, cerddoriaeth)? Sut fyddech chi'n teimlo pe byddai un o'ch synhwyrau'n cael ei wanhau'n ddifrifol? A gawsoch chi annwyd trwm rywdro, a cholli eich gallu i arogli neu flasu? Fe gofiwch felly pa mor annifyr oedd hynny ac nid y rhain yw'r synhwyrau pwysicaf wrth gadw cysylltiad â'r byd a'r bobl sydd o'n cwmpas.

Mae un neu ragor o synhwyrau nifer mawr o bobl yn dirywio'n sylweddol. Mae hyn yn digwydd ymhlith yr henoed yn enwedig, boed â dementia ai peidio. Prin fod angen pwysleisio sut all hyn greu trafferthion wrth gyfathrebu â'u cefnogwyr, yn ogystal â gweithwyr iechyd. Gallai pobl gael eu gwthio i'r cyrion a'u barn yn cael ei hanwybyddu.

I wneud ymdrech o bwys i fod yn gynhwysol, rhaid i ni ddatblygu strategaethau sy'n ymarferol a thosturiol. Does dim diben gweiddi ar berson byddar ac mae'n niweidio perthynas, mae hynny'n amlwg. Rhaid i ni fod yn ymwybodol y gallai rhywun sydd eisoes yn ceisio ymdopi â newidiadau eraill yn ei allu i ddeall pethau fod yn gwneud hyn ag anabledd synhwyraidd hefyd. Yn aml bydd yn ergyd drom i'w hunanhyder. Rywsut, rhaid i ni allu gweithredu o ddydd i ddydd mewn modd y gallwn ni ei oddef ac sy'n cysuro'r person – rhywbeth anodd iawn ei gyflawni.

Pan fydd rhywun yn cael trafferth deall geiriau neu'n cael trafferth ag unrhyw synnwyr heblaw am ei olwg, efallai y gallai mat siarad fod o gymorth. Gwrthrych i'w osod rhyngoch yw'r mat, ac arno dri llun wyneb – hapus, trist a dryslyd. Ceir casgliad o luniau gwahanol hefyd sy'n cynrychioli pynciau neu weithgareddau gwahanol. Bydd y person yn cyfleu ei deimladau trwy osod y lluniau o dan yr wyneb priodol. Mae'n gysyniad syml iawn, a byddai'n hawdd creu eich mat eich hun drwy wneud llun o dri wyneb ar gerdyn a chasglu lluniau i'w gosod oddi tanyn nhw. Dull arall, symlach fyth, fyddai datblygu system ddieiriau o nodio, ysgwyd pen neu wgu i ymateb.

Yn aml, y synnwyr pwysicaf i'r rhai sydd â'r anawsterau mwyaf dyrys o ran cyfathrebu yw cyffwrdd. Mae nifer o bobl yn defnyddio cyffwrdd i ymgyfarwyddo â sefyllfa neu i gyfleu negeseuon emosiynol pwysig (gweler yr adran am gyfathrebu dieiriau ym Mhennod 9) ac mae gofyn i ni fod yn fwy sensitif ein hunain i'w deall. Ond gall cyffwrdd hefyd gynnig cyfleoedd arbennig ar gyfer gweithgaredd synhwyraidd. Mae nifer o gefnogwyr wedi sôn am eu dyfeisgarwch wrth ddefnyddio'r synnwyr hwn i ddiwallu angen. Pan sylwodd Sue West fod ei thad yn ymgolli'n llwyr wrth chwarae â strap ei bag, creodd lyfr ar ei gyfer gyda thudalennau o gerdyn gwyn â gweadeddau a lliwiau gwahanol. Yna, dechreuodd greu 'teclyn ffidlan' sydd ychydig yn fwy cymhleth. Gwnaeth dyllau mewn bwrdd pren a phwythodd lanhawyr cetyn a chareiau lliwgar trwyddo. Byddai ei thad yn datgymalu'r cyfan ac yna'i ail-greu yn ddiwyd ac yn fodlon.

Mae gwrthrychau tebyg o'r enw Twiddlemuffs yn cael eu marchnata yn UDA. Mae sawl dyluniad gwahanol ar gael ac mae modd eu golchi. Cânt eu disgrifio fel 'cynnyrch therapiwtig i gynnig cysur, cynhesrwydd a symudiad i'r rhai â chyflyrau sy'n gysylltiedig â dementia'.

Rwy'n credu bod archwilio eitemau yn bwysig iawn i'r synhwyrau. Wrth fynd i gartrefi a mannau tebyg, rwyf wedi dod â gwahanol bethau gyda mi – cerrig, cregyn, cerfluniau bychain, darnau o ddefnydd brethyn a gwlân, a phob math o focsys a bagiau ac eitemau o'r fath ynddyn nhw. Fel arfer, byddan nhw'n ennyn diddordeb. Mae modd eu cyffwrdd, eu harogli, eu hysgwyd, eu blasu, yn ogystal ag edrych arnyn nhw. Fodd bynnag, rhaid bod yn ofalus rhag ofn bod yr eitemau'n finiog neu'n fach iawn ac yn debygol o wneud niwed. Yn aml, bydd pobl yn awyddus i gadw eitem i'w fwynhau eto yn y dyfodol.

Rhan 2 Lleisiau eraill

Dyma Kate Grillet yn trafod y dull hwn o gyfathrebu â Christophe:

> Daeth y synhwyrau yn hynod bwysig wrth i'w allu llafar ddiflannu: arogl planhigion, sŵn adar, awyrennau'n mynd heibio, bwrlwm pobl, canu, cerddoriaeth gyfarwydd, y bwydydd *purée* blasus roeddwn i'n eu paratoi bob dydd.

Gweithiwr cymdeithasol yw Laurel Rust a ddaeth yn ffrind i Amy ar ward arhosiad hir:

> Mae Amy'n cadw tameidiau o bapur wedi'u rholio yn ei phwrs gorlawn. Maen nhw wedi'u rhwymo'n ofalus â rhimynnau o bapur tŷ bach. Bydd ganddi un yn ei llaw yn aml. 'Ei phethau bach' yw ei henw hi arnyn nhw. Mae hi'n eu cadw o dan ei gobennydd, yn ei drôr, yn ei gwely, nes bydd y glanhawr yn dod ac yn glanhau popeth, yn taflu'r pethau bach ac yn rhoi popeth yn ôl y drefn sefydliadol.
>
> Un dydd, mi wnes 'beth bach' a'i roi iddi. 'Dyma beth bach arall,' dywedais.
>
> 'Wel wir, wel wir,' dywedodd. 'Dyna ti wedi 'neall i!' Chwarddodd a thynnu ystumiau. 'Rwyt ti wedi'i gweld hi, on'd wyt ti!'

Rydym eisoes wedi cyfarfod â Claire Craig, y therapydd galwedigaethol. Yma, mae hi'n sôn am ei gwaith mewn ysbyty a'i hymdrechion i roi profiadau gwerthfawr i bobl trwy gyfrwng y synhwyrau.

> Mae Hilda yn yr ysbyty ers dros ddeng mlynedd bellach. Y ward yw ei chartref. Mae yn ei gwely am ran helaeth o'r dydd oherwydd ei hanghenion corfforol. Mae ei breichiau a'i choesau wedi crebachu ac mae hi'n dal ei dwylo dan ei gên yn amlach na pheidio. Nid yw'n gweld yn dda iawn ac nid yw'n siarad, er ei bod yn defnyddio'i llais i wneud ychydig synau. O bellter, mae'r synau'n fy atgoffa i o ganu.

Rwy'n mynd at ei gwely ac yn cysylltu'r peiriant tâp i chwarae cerddoriaeth dawel. Yna, rwy'n gostwng y rhwystrau sydd ymyl y gwely ac yn eistedd arno nesaf ati.

Rwy'n gwisgo persawr cyfarwydd ac yn gafael yn ei llaw, yn fy nghyflwyno fy hun, ac yna'n disgwyl ymateb. Dyma ddefod rwyf wedi'i chyflawni sawl gwaith. Mae Hilda'n gwneud synau cadarnhaol ac rwy'n eistedd am ychydig i roi cyfle iddi ddod i arfer â fy nghwmni. Bob tro y bydd hi'n symud, rwyf innau'n efelychu'r symudiad, gan gynnig cysur a mwynhau bod yn ei chwmni. Yna, rwy'n estyn am yr eitem gyntaf o'r bag. Sbrigyn o lafant. Does dim ymateb i'w weld ar unwaith. Aiff pum munud, deg munud, heibio, cyn i mi ei gwylio'n estyn amdano'n araf bach i'w godi at ei ffroenau a'i arogli, ei gyffwrdd a synhwyro'r gwead. Mae hi'n chwerthin ac rwy'n estyn am yr ail eitem. Pluen. Unwaith eto mae hi'n gafael ynddi, yn ei chodi, ei synhwyro, ei chyffwrdd a'i theimlo. Rwy'n rhoi glud ar gardbord. Mae hi'n teimlo pa mor ludiog ydyw. Erbyn hyn mae hi'n gwenu ac yn edrych i fyw fy llygaid. Rwy'n dweud wrthi ein bod ni am wneud *collage* ar gyfer y synhwyrau ac mae'r bluen yn disgyn yn araf ar y cardbord. Rwy'n gafael yn ei llaw ac mae'r ddau ohonom yn ei gosod yn ei lle. Mae hi'n oedi ac yna'n gafael yn y bluen eto i'w symud i gornel y cardbord. Rwy'n gwenu ac yn dweud wrthi ei bod yn edrych yn well o lawer yno.

Rydym yn treulio ugain munud yn dewis gwrthrychau, yn eu teimlo a'u synhwyro a'u gosod ar y bwrdd. Weithiau, hi fydd yn dechrau'r symudiad a minnau'n dilyn. Rwy'n gweld ei bod hi'n dechrau blino. Rwy'n chwarae'r tâp eto ac yn eistedd am ennyd gan afael yn ei llaw. Diolchaf iddi am ei hamser a dywedaf wrthi y byddaf yn dychwelyd drannoeth i osod y *collage* ar ddrws y cwpwrdd dillad. Wrth adael, rwy'n clywed ei llais, mae hi'n canu.

Nodyn i gloi

Rydym yn tueddu i anghofio am bwysigrwydd ein synhwyrau wrth i ni fyw ein bywydau o ddydd i ddydd. Gyda dementia, maen nhw'n tueddu i ddod yn bwysicach o ran cyfathrebu a chynnal perthynas. Mae angen i ni gynnig rhagor o gyfleoedd i bobl gael profi pethau gyda'u synhwyrau. Wrth werthfawrogi coed, dywedodd un ddynes:

> Rwy'n meddwl eu bod nhw'n rhyfeddol. Maen nhw wedi fy nghyfareddu ers i ni symud yma.

Pennod 13 **Aros mewn cysylltiad**

Rhan Un

Yn y penodau blaenorol bûm yn trafod sut all datblygu dementia herio'r person yn ogystal â'i gefnogwyr, a sut allwn ni i gyd elwa o geisio trin y sefyllfa fel cyfle yn hytrach na methiant. Mae'r bennod hon yn trafod yr hyn a elwir o bryd i'w gilydd yn 'Ddementia Datblygedig'. Er bod yr heriau a'r cyfleoedd yn gallu bod yn wahanol ac yn fwy dwys, yr un yw'r neges sylfaenol.

Un o'r newidiadau posibl y bydd angen addasu iddo yw diffyg symudedd y person, rhywbeth a all gyfyngu perthynas i fan benodol a pheri iddi gylchdroi o amgylch y tasgau corfforol niferus sydd angen eu cwblhau. Gall dibyniaeth fod yn broblem yma a bydd llai o gyfleoedd i gynnig dewis i'r person a gadael iddo benderfynu. Wrth gwrs, byddai hyn yn wir am unrhyw un sy'n gaeth i'w wely neu ei gadair olwyn, ond gan fod colli'r iaith lafar yn fwy tebygol yn y sefyllfa hon, mae mwy o gyfrifoldeb arnom i ganfod ffyrdd newydd o ysgogi ymatebion a dehongli arwyddion.

Mae'r bennod sy'n sôn am gyfathrebu yn ganllaw i chi yn y sefyllfa hon ac efallai y bydd y bennod sy'n trafod dulliau synhwyraidd yn ddefnyddiol hefyd. Fodd bynnag, mae'n sicr y bydd hi'n anodd i rai ohonoch chi ddatblygu eich sgiliau yn y meysydd hyn ac eraill yn gweld bod ganddyn nhw ddawn naturiol. Ond mae hefyd yn sicr y gall perthynas sy'n llawn o gariad eich cynnal trwy'r rhan fwyaf o heriau.

Rwyf am neilltuo gweddill y bennod hon i ddau ddisgrifiad byr o gyfarfodydd â phobl yn ystod prosiect a oedd yn ymchwilio i ddulliau o gysylltu â phobl ag anawsterau cyfathrebu dwys. Roeddwn eisoes wedi darllen am egwyddorion 'gwaith coma' ac yn awyddus i roi cynnig ar ddefnyddio'r technegau sylfaenol o gyswllt llygaid, cyffwrdd, iaith y corff, goslef y llais a chanu gyda'r rhai a oedd mewn cyfnod pan allai hyn fod yn briodol. Ces gwmni technegydd sain a dyn camera ar y daith. Nid oeddwn yn adnabod yr un o'r bobl â dementia, rhywbeth a oedd yn fantais ac yn anfantais: nid oedd perthynas y gallwn ei meithrin ond nid oedd yn rhaid i mi gael gwared ag unrhyw ragdybiaethau chwaith. Roeddem ni'n fodlon ar y diwedd fod y cyfarfodydd yn profi bod cyfathrebu'n bosibl ac y gallai fod yn achubiaeth i unigolion yn y sefyllfaoedd hyn.

PEGGY

Roedd Peggy yn oriog iawn o ran ei hymatebion i bethau a'i gweithredoedd. Ar y cyfan, cymerodd dipyn o amser iddi ddechrau ymateb i mi. Byddem yn cyfarfod yn ei hystafell a'r ddau ohonom yn eistedd mewn cadeiriau. Yn ystod y sesiwn gyntaf, roedd hi'n wyliadwrus ac yn amwys nes i mi lwyddo rywsut i ragweld a dynwared rhyw ynganiad hir a chymhleth ganddi, yn union yr un pryd, fwy na heb. Dyna'r trobwynt: yn hytrach nag ymateb yn oddefol neu geisio osgoi unrhyw ymgais i'w chyffwrdd, dechreuodd edrych i fyw fy llygaid a gafael yn fy llaw. O weld hyn, penderfynais fwmian cân iddi ac edrychodd arna i drwy gydol y gân.

Cafodd y sesiwn nesaf ei chwtogi oherwydd ei bod hi'n edrych yn wael ac nid oedd fawr o groeso i mi. Roedd ffurf amlwg i'r drydedd sesiwn, a barhaodd am 23 munud. Yn ystod y deng munud cyntaf, cadwodd ei chefn tuag ataf heb wneud unrhyw ymdrech amlwg i gyfathrebu. Ond, ar ôl hynny, trodd ei chorff tuag ata i, gan arwain at wyth munud o ryngweithio dwys: edrychodd i fyw fy llygaid, gwenodd, chwarddodd a siaradodd yn rhugl (er nad oeddwn i'n gallu deall y geiriau). Edrychodd o gwmpas yr ystafell, yn enwedig i gyfeiriad y lluniau o'i theulu oedd ar y wal. Chwaraeais y dôn 'Edelweiss' iddi ar flwch cerddoriaeth; dangosodd ei bod yn mwynhau drwy nodio a gwenu ac ynganu synau a oedd yn debyg i eiriau (clywais y gair 'ie' yn eu plith). Roedd yn amlwg bod ei synau'n gysylltiedig â'r gerddoriaeth. Yna trodd eto a chefnu arna i, yn ôl fel roedd hi ar y dechrau.

Roedd y bedwaredd sesiwn yn arbennig mewn ffordd wahanol. Cymerodd 25 munud iddi ddod yn gwbl ymwybodol o fy mhresenoldeb i a fy mod i ar gael iddi hi, ond unwaith y dechreuodd hi ryngweithio roedd ei hwyl yn wahanol iawn i'r sesiynau blaenorol. Roedd hi'n edrych yn ffyrnig a gafaelodd yn fy nwylo a dechrau eu rhwbio, eu trin yn wyllt, a gwasgu eu hewinedd iddyn nhw am ryw 17 munud, cyn eu gollwng a throi oddi wrthyf i eto. Ces fy atgoffa gan y sesiwn hon o'r ystod eang o emosiynau mae angen i bobl eu mynegi.

NANCY

Roedd hi'n eiddil iawn, mewn gwely â barrau diogelwch uchel bob ochr iddi a thiwb o'i thrwyn i'w stumog yn ei bwydo. Bûm yn ymweld â hi sawl gwaith a'i chael yn cysgu.

Pan welais i hi'n effro am y tro cyntaf, cawsom gyfarfod bywiog. Wrth i mi nesáu, edrychodd i fyw fy llygaid ar unwaith, gan wenu a chwerthin sawl gwaith. Ymatebodd yn gadarnhaol pan afaelais yn ei llaw, gan wasgu'n ôl. Ac er ei bod hi'n gwneud synau, ni sylwais pa mor arbennig roedden nhw nes i mi wrando eto ar y tâp. Nid oedd y geiriau'n eglur ond roedd hi'n ynganu yn rhythmig, fel pe bai'n ymateb i fy sylwadau i ac yn cyd-fynd â'r gwenu a'r chwerthin.

Roedd yr ail sesiwn yn fyrrach ac yn llai arbennig, ond roedd y drydedd yn estynedig (44 munud), yn ddwys ac yn wahanol iawn i'r cyfarfod cyntaf. Ni wenodd na chwerthin, dim ond edrych i fyw fy llygaid a chydio'n dynn yn fy llaw. Ar ôl 23 munud, tybiais ei bod yn dechrau blino a dechreuais baratoi i adael. Roeddwn wedi codi a symud y stôl yn barod, pan barodd taerineb ei hedrychiad i mi eistedd eto. Dywedodd rywbeth a oedd yn swnio'n debyg iawn i 'Dwi ddim eisiau i ti fynd'. Aeth Nancy ati wedyn, yn drafferthus iawn, i symud ei llaw dde fel bod modd iddi gydio yn fy nwylo â'i dwy law hi. Mynnodd Nansi fod y sesiwn yn parhau am 19 munud arall nes iddi gael pwl o dagu a bu'n rhaid galw am y staff gofal. Roedd yn ddiwedd disymwth a thorcalonnus i'r cyfarfod. Rwy'n siŵr mai hyd y sesiwn oedd yn gyfrifol am y tagu ond dim ond ymateb i angen amlwg oeddwn i. Fe ddes i o'r sesiwn yn deall yn well arwyddocâd cyswllt dynol i unigolion, hyd yn oed i'r rhai sy'n nesáu at y diwedd (bu farw Nancy gwta fis yn ddiweddarach).

Rhan Dau Lleisiau eraill

Dyma sylwadau Frena Gray Davidson ynglŷn â'r rhai sydd fel petaen nhw heb gysylltiad â'r digwyddiadau o'u cwmpas:

> Mae'r synfyfyrdod mewnol hwn i'w weld yn aml yn nyddiau diweddarach clefyd Alzheimer. Maen nhw'n rhoi'r argraff nad meirw byw mohonyn nhw o gwbl, ond pobl absennol a'u bryd ar bethau amgenach. Anaml y bydd golwg arnyn nhw eu bod mewn gwewyr, mae hi fel petaen nhw wedi ymgolli'n llwyr mewn rhywbeth. Mae rhai yn y cyflwr hwn wedi cael eu cludo i'r ysbyty... ac yn cael eu hanfon adre heb ddim byd mwy na'r diagnosis bod eu cyflwr wedi newid.

Mae Rosemary Clarke, a gefnogodd ei mam am gyfnod hir, wedi ysgrifennu am ddefnyddio'r dechneg coma:

> O edrych yn ôl, fisoedd ers dechrau defnyddio egwyddorion sylfaenol gwaith coma gyda fy mam, mae'n gwbl amlwg. Cyn hynny, bûm yn llafurio'n aflwyddiannus i geisio cyfathrebu â hi. Erbyn hyn, rwy'n gweithio i'w helpu hi i gyfathrebu: â phwy bynnag neu beth bynnag. Yr unig beth mae ei hanallu i siarad yn ei olygu yw nad yw hi'n dibynnu ar eiriau mwyach. O edrych, rwy'n gweld bod ganddi sawl ffordd wahanol o fynegi pethau. A'r peth gwyrthiol yw ei bod hi'n cyfathrebu â mi unwaith eto yn y ffordd yma, weithiau'n uniongyrchol iawn a chyda bwriad pendant.
>
> O ganlyniad, mae cymaint o bethau wedi digwydd, pethau roeddwn i'n credu na fydden nhw byth yn digwydd eto. Ac er fy mod i wedi bod yn ysgrifennu mewn iaith ddisgrifiadol, bwyllog ar y cyfan, rwyf wedi cael profiadau aruchel ar brydiau ac rwy'n credu bod hyn wedi grymuso fy mam. Yn

aml, gallwn gyfathrebu heb eiriau mewn modd sy'n dderbyniol. Weithiau gallwn wneud hyn mewn ffordd brydferth, anhygoel ac sy'n creu agosatrwydd mawr.

Yn y maes hwn o gyfathrebu â phobl sydd fel fy mam yn y cyfnod hwn o'i bywyd, rwy'n edrych ymlaen at yr adeg pan fydd hyn yn dod yn reddfol i bob gofalwr, boed yn deulu neu'n rhai proffesiynol. Yr adeg pan fyddan nhw'n cymryd yn ganiataol fod gan y person bethau i'w 'dweud' ac mai ein dyletswydd ni yw dod o hyd i ffordd o 'wrando'.

Dros y misoedd diwethaf, mae fy mhrofiad i gyda fy mam wedi bod yn amhrisiadwy. Rwy'n argymell y dull hwn i eraill sy'n awyddus i roi boddhad a'i gael wrth gysylltu â'r rhai sydd â dementia sydd, ar y cyfan, y tu hwnt i eiriau.

Nodyn i gloi

Mae'n debyg mai her fwyaf dementia yw ceisio cyfathrebu â'r rhai sydd wedi colli eu lleferydd. Ond os ydym ni'n fodlon dysgu sgiliau newydd a dyfalbarhau, byddwn yn cael ein gwobrwyo, yn aml mewn ffyrdd unigryw a chofiadwy. Rwyf wedi ceisio mynegi'r syniad hwn yn y detholiad byr hwn o ddarn hirach:

> Mae dy gorff yn adrodd y geiriau
> na all dy wefus eu mynegi,
> ac rwyf yma i'w dysgu.
>
> Pob ystum, pob osgo,
> fflam mewn llygaid, llef, corneli'r
> gwefusau'n disgyn, bysedd yn gwasgu –
>
> nid pethau i'w hystyried ar wahân mohonynt,
> ond cyfanwaith,
> o'r hyn rwyt ti a'r hyn fuest ti.

Pennod 14 **Bod yn greadigol**

Rhan Un

Os ydym ni'n chwilio am faes lle gall y rhai sydd â dementia ragori, efallai mai ym myd y celfyddydau y bydd hyn. I ddechrau, beth am i ni ystyried plentyndod – nid oherwydd bod y rhai sydd â'r cyflwr wedi dychwelyd i'r cyfnod hwnnw, ond oherwydd eu bod nhw'n rhannu un nodwedd arbennig â phlant, sef diniweidrwydd wrth werthfawrogi. Daw hyn yn gwbl naturiol i blant, wrth gwrs, ond efallai fod byw yn y foment (darllenwch Bennod 16 am ragor o wybodaeth) yn galluogi pobl i weld pethau ar newydd wedd yn amlach a'i gwneud hi'n haws felly iddyn nhw ryfeddu at y byd.

Efallai fod troi oddi wrth ddeallusrwydd tuag at yr emosiynau ac at deimlo yn hytrach nag at resymu, yn golygu bod y celfyddydau'n hynod atyniadol.

Hefyd, mae'r celfyddydau'n tueddu i ymwneud â gweithgareddau ymarferol. Er bod yr elfen o werthfawrogi, o fod yn rhan o gynulleidfa, yn beth mwy goddefol, ar y cyfan mae'r celfyddydau'n golygu gwneud rhywbeth, bod yn rhan o rywbeth, waeth beth fydd y cynnyrch ar y diwedd. A does dim angen i mi bwysleisio bod nifer mawr o bobl hŷn yn dioddef gan gyfnodau hir o ddiffyg gweithgarwch.

Cyfathrebu yw hanfod y celfyddydau – mynegi rhywbeth mewn ffordd fyw neu anarferol. Mae sawl un o'r celfyddydau (cerddoriaeth, arlunio, dawns, cerflunio, er enghraifft) yn gwneud hynny heb ddefnyddio geiriau a gallen nhw fod yn ddull i'r rhai sydd ag anawsterau llafar eu mynegi eu hunain.

Mae harddwch yn ffactor hefyd – gall yr uniad rhwng neges a chyfrwng greu gwrthrychau y gallwn eu hedmygu am eu prydferthwch.

Yn olaf, cawn yr hyn a elwir yn elfen therapiwtig. Nid wy'n cyfeirio at waith gydag arbenigwyr, ond yn hytrach at un o rinweddau cyffredinol creadigrwydd: mae gan y person deimladau sydd heb eu mynegi a gall y gweithgaredd creadigol ei annog i fynegi'r teimladau hynny. Gellir gwella lles person yn y tymor byr o wneud hyn a gall rhai o'r effeithiau barhau am gyfnod hirach hefyd.

Gall y celfyddydau fod yn gyfle da i bobl sydd â dementia gyfrannu, ac yn gyfle arbennig i ni fel cefnogwyr fod yn rhan o hynny gyda nhw. Ond beth yw barn y bobl eu hunain am hyn?

Un tro, roeddwn i'n edrych ar luniau o rai o hoff ddarnau celf y ddynes a oedd gyda mi. Trodd ataf a dweud yn daer, 'Dim ond y celfyddydau sydd ar ôl. Rhowch ni iddyn nhw!'

*

Roedd Claire Craig, y therapydd galwedigaethol, yn gwneud gweithgaredd crefft gyda dynes a ddywedodd:

> 'Rydym ni wedi bod ar daith arbennig, ti a fi. Dyna sbort, yn chwerthin a chanu. Yn dal enfys yn ein dwylo.'

*

Mae Katie Clark yn gweithio i'r Reader Organisation ac yn darllen barddoniaeth gyda phobl. Dywedodd un dyn:

> Mae'n eich cyffwrdd. Hynny yw, mae'n eich taro chi tu mewn ac yn golygu rhywbeth.

Ychydig flynyddoedd yn ôl roeddwn i'n gwneud rhaglen radio a oedd yn trafod fy ngwaith yn helpu pobl â dementia i ysgrifennu cerddi. Gofynnais i ŵr o Glasgow, Ian McQueen, roi cynnig ar farddoni. Gwrthododd yn chwyrn. 'Roeddwn i'n casáu barddoniaeth yn yr ysgol – sothach,' dywedodd. Ond llwyddais i'w ddarbwyllo yn y pen draw. Esboniais mai'r unig beth roedd rhaid iddo'i wneud oedd siarad ac y byddwn i'n cofnodi ei eiriau. Os oedd hi'n bosib, byddwn yn llunio cerddi ohonyn nhw. Erbyn diwedd y chweched sesiwn, roedd hi'n amlwg bod Ian wedi mwynhau ei hun yn arw a ninnau wedi llwyddo i gyfansoddi saith neu wyth o gerddi gyda'n gilydd. Gofynnais eto am ei farn am farddoniaeth. Atebodd mai 'barddoniaeth yw hanfod yr hanfodion... A'r hyn sy'n bwysig i mi yw'r fi sydd ynddi.' (Mae pedair o gerddi Ian yn y gyfrol *Dementia Diary* – manylion ar ddiwedd y llyfr hwn.)

Nid wyf am roi'r argraff mai dim ond y rhai sydd wedi cael hyfforddiant yn y celfyddydau, y 'gwybodusion', all helpu pobl i fod yn greadigol. Gall unrhyw un ei wneud, gan gynnig cyfleoedd i rannu mewn modd arbennig, a gall cefnogwyr elwa'n fawr ohonyn nhw hefyd.

Mae'r mudiad Singing For the Brain wedi ffynnu yn y Deyrnas Unedig yn ddiweddar, ac mae hynny'n dyst i apêl gweithgareddau cerddorol: mae'n cysylltu ag atgofion cudd pobl ac yn eu hysgogi'n gymdeithasol.

Daw arlunio a chrefftau'n ail agos i ganu o ran eu poblogrwydd, a hynny yn bennaf am fod cymaint o amrywiaeth yn y maes – braslunio, creu *collage*, mandalâu neu *macramé*. Mae sawl llawlyfr ar gael, gan gynnwys un arbennig iawn gan Sarah Zoutewelle-Morris (manylion ar ddiwedd y llyfr hwn).

A sôn am lyfrau, mae cyfres o lyfrau lluniau, *Pictures to Share*, wedi'u cyhoeddi'n arbennig ar gyfer pobl sydd â dementia. Cafodd y cyfrolau eu dylunio a'u marchnata gan ferch rhywun a oedd wrth ei bodd gyda llyfrau ond a oedd wedi colli'r gallu i ddarllen. Fel mae'r teitl yn awgrymu, maen nhw'n wych i edrych arnyn nhw a'u trafod gyda'ch gilydd.

Ni ddylem anghofio gwerthfawrogi creadigrwydd chwaith: mynd i gyngherddau, orielau, theatrau ac ati. Rwyf wedi sylwi bod y cyflwr, mewn gwirionedd, wedi gwella gallu rhai unigolion i ymateb i gelfyddyd: maen nhw'n fwy craff a brwdfrydig nag o'r blaen. Dyna'n sicr yw barn y mudiad Artz for Altzheimer yn America; mae ei arfer o fynd â grwpiau i orielau wedi bod yn hynod lwyddiannus ac mae'n ymledu ar draws y byd. Mae hefyd wedi dechrau rhentu sinemâu i ddangos ffilmiau'n arbennig i bobl â dementia.

Rhan Dau Lleisiau eraill

Yn y darn nesaf, mae Agnes Houston, sy'n ferch iau, yn trafod sut mae dementia wedi'i galluogi i gael profiadau newydd. Mae hi hefyd yn cydnabod y gallai'r celfyddydau fodloni angen newydd mae hi wedi'i ddatblygu.

> Dydw i ddim yn dweud nad yw dementia'n beth difrifol. Ond rwyf am ddweud ei fod yn fy nghaniatáu i, rywsut, i fod yn rhydd, i fod yn fi fy hun. Rwy'n credu i mi gael caniatâd i ymlacio yn sgil y diagnosis, i fy nerbyn i fel ydw i.
>
> Roeddwn i eisiau gwybod a oedd gen i ddawn artist. Rwy'n awyddus i ddysgu rhagor am greadigrwydd. Rwy'n gweld 'mod i'n dechrau bod yn wreiddiol. Mi fydd yn digwydd. Mae ychydig fel disgwyl am y Nadolig. Rydych chi'n gwybod ei fod yn dod, ond pan fyddwch yn blentyn, dydych chi ddim yn siŵr yn union pa bryd fydd hynny. Mae'n deimlad braf.

Gall gwrando ar gerddoriaeth gysuro rhywun hefyd, fel yr eglura Cary Smith Henderson:

> Bu gen i gariad mawr tuag at gerddoriaeth erioed ac rwy'n cael cysur ohono... Rydw i wedi treulio sawl awr yn gwrando ar gerddoriaeth, gan deimlo 'mod i'n gwneud rhywbeth dwi'n ei garu. Alla i ddim creu cerddoriaeth mwyach, ond galla i ei defnyddio at fy nibenion fy hun – sef bod yn brydferth, dim byd arall.

Mae dawns, y mathau mynegiannol a chymdeithasol, yn faes pwysig wrth gyfathrebu hefyd. Dyma eglurhad Heather Hill, therapydd dawns o Awstralia:

> Mae symudiad a dawns yn defnyddio'r corff cyfan – pobl gorfforol ydym ni, sy'n golygu ein bod ni'n profi'r byd a'n bodolaeth yn ein corff, yn ein mynegi ein hunain trwy ein corff ac yn cyfathrebu ag eraill trwyddo. Rydym yn tueddu i anghofio hyn, ac yn ystyried y meddwl fel ffynhonnell bennaf ein hunaniaeth. Does ryfedd felly fod dementia yn ein dychryn, gan ei fod yn ymosod ar y meddwl. Ond hyd yn oed pan fydd y meddwl yn iach, mae ein profiad o'r byd a'n cysylltiad ag o yn digwydd trwy ein corff... Wrth ddawnsio, gweithred nad yw'n dibynnu ar sgiliau llafar, mae'n haws i'r person gysylltu ag eraill. Mae hi hefyd yn haws i ni gysylltu â nhw.

Soniodd Oliver Sacks, y niwrolegydd, am y broses o fynd â grwpiau o bobl i edrych ar luniau mewn oriel:

> Nid profiad gweledol yn unig ydyw, mae hynny'n amlwg – mae'n brofiad emosiynol hefyd. Mewn ffordd anffurfiol, rwyf wedi gweld pobl â dementia dwys yn adnabod lluniau ac yn ymateb yn fyw iddyn nhw, yn mwynhau arlunio mewn cyfnod pan nad ydyn nhw'n ymateb prin ddim i eiriau ac yn ddryslyd. Rwy'n credu bod adnabod celf weledol yn ddwfn iawn yn ein hymwybod.

Nodyn i gloi

Efallai fod gan y celfyddydau rywbeth arbennig i'w gynnig i'r rhai sydd ag anawsterau gwybyddol: y teimlad o ryfeddu at rywbeth, modd o fynegi teimladau, gweithgareddau ystyrlon, cyfrwng cyfathrebu, apêl at y synnwyr esthetig, a theimlad o ryddhad. Mae amrywiaeth eang – does ond angen rhoi cynnig ar bethau gwahanol i weld beth sy'n addas. Ceir cyfleoedd i werthfawrogi hefyd, yn ogystal â gweithgareddau ymarferol. Mynegodd un dyn y cysyniad yma ar ffurf cerdd:

> gweld yr hyn sy'n brydferth
> clywed yr hyn sy'n brydferth
> ni wyddant beth sy'n brydferth...
>
> anaml iawn y byddwn yn ei weld
> ond y gwahaniaeth yw
> ein bod ni'n ceisio gweld!

Pennod 15 **Meithrin natur chwareus**

Rhan Un

Rwy'n eich clywed chi'n grwgnach wrth ddarllen enw'r bennod hon: 'Chwareus? Dyw dementia ddim yn jôc!' Wrth gwrs, rydych chi'n hollol iawn, ond fy awgrym i yw y gall cymryd agwedd ysgafnach leddfu'r baich i bawb.

O ran barn cymdeithas, rwy'n ymwybodol fy mod i'n nofio yn erbyn y llif braidd wrth hyrwyddo'r agwedd hon. Barn llawer yw mai plant yn unig ddylai chwarae ac y dylem roi'r gorau i chwarae wrth i ni aeddfedu. Yn yr ysgol, rydym yn dysgu mai gwaith sydd wrth graidd bywyd a bydd ein chwarae'n cael ei gyfyngu i gemau sydd wedi'u trefnu. Gall y rhain hefyd fagu elfen ddifrifol pan fyddan nhw'n troi'n gemau cystadleuol. Mae'r duedd tuag at ddeallusrwydd yn ein system addysg yn golygu bod chwarae yn cael ei ystyried yn rhywbeth amherthnasol, rhywbeth i'w wneud yn eich amser hamdden. Bydd unrhyw ddadlau dros gael pobl hŷn i chwarae yn ennyn drwgdybiaeth ac efallai sylwadau am 'ail blentyndod'.

Does dim angen i ni gymryd ein hunain o ddifrif drwy'r adeg. Ystyriwch yr holl adegau pan gafodd sefyllfaoedd lletchwith eu datrys gan chwerthiniad, neu pan gawsoch ddealltwriaeth o'r newydd am ryw fater neu'i gilydd o ganlyniad i hiwmor. Mewn achosion penodol, gall bod yn chwareus droi gwaith caled yn bleser.

Ond a oes modd iddo wneud mwy na hynny? Dywedodd Charlie Chaplin, 'to truly laugh you must take your pain and play with it'. Os ystyriwn ni hyn o ran dementia, a ydi hi'n bosibl y bydd delio â'r cyflwr mewn ffordd chwareus yn ei gwneud hi'n haws dygymod ag o? Rwy'n credu hynny.

Dyma enghraifft o fy mhrofiad i fy hun. Rwyf wedi bod yn datblygu gweithgaredd ar gyfer grwpiau yn seiliedig ar gemau drama byrfyfyr rwyf i'n eu galw'n 'Funshops'. Fi sy'n arwain y gweithgaredd ond bydd y grŵp yn cyfrannu nifer o'r syniadau. Mae pobl yn elwa o gael y rhyddid i ddweud a gwneud pethau mewn ffordd ddigymell. Mae'r sesiynau'n cynnig hefyd seibiant rhag y newidiadau sy'n effeithio ar eu canfyddiadau a'u perthynas â phobl. Maen nhw'n gallu creu ymdeimlad o gymdeithas, gan arwain at feithrin cysylltiadau cryf. Mae'r stori a ganlyn yn enghraifft o hyn ar waith:

Roedd dyn (dewch i ni ei alw'n Albert) yn un o'r grwpiau hyn ac wedi bod yn amharod iawn i ddod iddyn nhw nes i'w wraig wneud iddo ddod. Cafodd groeso mawr a'i annog i gyfrannu. Cefais wybod ei fod wedi bod yn arlunydd amatur, felly yn ail gyfarfod y grŵp, dyfeisiais sgets arbennig i ni ei pherfformio. Albert oedd yn arwain y darn byrfyfyr, a dyma'r sefyllfa: roedd o yn arlunydd a minnau'n gleient oedd wedi comisiynu portread ohonof fy hun. Wrth i'r sesiwn fynd rhagddi, byddai fy ngofynion yn dod yn fwy a mwy afresymol ac Albert yn cadw wyneb syth drwy'r cyfan. Yn y pen draw, trodd at weddill y grŵp, gan ddweud yn blwmp ac yn blaen: 'Rwy'n ymddiswyddo'. Roedd pawb yn rholio chwerthin. Roedd wedi chwarae rhan y cymeriad yn berffaith ac roedd ei amseru'n berffaith. Erbyn y drydedd 'Funshop', dywedodd Albert wrth bawb fod ei agwedd tuag at y cyflwr wedi newid yn llwyr o ganlyniad i'r sesiynau. Bellach, nid oedd yn teimlo'r ysfa i guddio rhag pawb oherwydd ei gyflwr, ond yn hytrach roedd yn mynd allan i gwrdd â phobl a chael sbort.

Yn y bennod sy'n trafod cydraddoldeb, cyfeiriais at y gwahaniaeth posibl mewn grym rhwng y rhai sydd â dementia a'r rheini o'u cwmpas. Mae'n rhaid i ni ystyried hynny wrth fod yn chwareus. Er y gall creu jôc o sefyllfa anodd hwyluso pethau weithiau, rhaid i ni ofalu nad oes modd iddo gael ei ddehongli fel gwneud hwyl am ben anabledd person (yr hyn mae Kitwood yn ei alw'n 'Watwar'). Er mwyn i'r agwedd chwareus hon fod yn effeithiol, mae'n rhaid i'r berthynas fod wedi ei sefydlu ar barch cryf a chadarn tuag at eich gilydd.

Mae bod yn chwareus heb eiriau yr un mor bwysig â bod yn chwareus gan ddefnyddio geiriau, yn fy marn i. Lawer gwaith rwyf wedi ymdrechu i gyfathrebu â rhywun oedd ag anawsterau geiriol dyrys ac wedi synhwyro ei fod ar fin chwerthin. Ac roeddwn i'n dechrau chwerthin hefyd. Hyd yn oed pan na fyddaf yn gwybod beth oedd y rheswm dros chwerthin, gallaf ymuno oherwydd, wrth gwrs, mae chwerthin yn heintus. Fy nghyngor i, felly, yw dewch i ni ddechrau epidemig!

Dyma'r awdur Elizabeth Cohen yn annog defnyddio hiwmor mewn achosion o'r fath:

> Rwy'n credu bod synnwyr digrifwch wedi'i guddio mewn bocs yn ddwfn iawn yn yr ymennydd a bod clefydau'n gorfod chwilio amdano. Efallai mai esblygiad sy'n gyfrifol am hyn, i sicrhau parhad pobl.

Rydym eisoes wedi cyfarfod â Richard Taylor, dyn â dementia arno, yn y penodau blaenorol. Dyma ddarn ganddo yn trafod pwysigrwydd hiwmor:

> Mae chwerthin yn un o'r pethau sy'n gyffredin i'r ddynoliaeth gyfan. Chwerthin, chwerthin nes ein bod yn wan, yw'r peth sy'n gwneud dyn yn wahanol i'r rhywogaethau eraill. Gall anifeiliaid fod yn hapus ond maen nhw'n methu chwerthin hyd at ddagrau, nes bod eu hochrau'n boenus. Gall pobl sydd â dementia chwerthin fel yna. Ond anaml y byddan nhw, gwaetha'r modd. Dylai pawb ohonom rannu pob eiliad o lawenydd, tynnu sylw atyn nhw a'u hannog, er budd y rhai sydd â dementia, a thristwch yn diffinio'u bywydau'n rhy aml. Gall chwerthin atgyfnerthu'r llawenydd, y pwrpas, a'r cysylltiad sydd rhyngom ni i gyd – o na fyddem yn gallu gweld coed dynoliaeth yn hytrach na phren dementia.

Rydym eisoes wedi cyfarfod ag Agnes Houston yn y bennod ddiwethaf; mae ganddi ran bwysig mewn sefydliad prysur dros ben, The Scottish Dementia Working Group (SDWG):

> Doeddwn i ddim yn credu bod gen i synnwyr digrifwch. Roeddwn i'n rhy brysur yn bod yn ddifrifol i gael un. Ond pan ges i ddementia bu'n rhaid i mi ganolbwyntio arna i fy hun am y tro cyntaf ers oes. Mwyaf sydyn, roedd yn rhaid i mi graffu arna i fy hun i weld pa bethau y gallwn i eu rhoi yn eu lle, pwy oedd yr Agnes newydd yma? Dechreuodd y grŵp drafod hiwmor. Yna cefais ar ddeall fod gen i synnwyr digrifwch, a'i fod gan fy mrodyr hefyd. Dechreuais ddefnyddio hiwmor yn

> amlach wedyn. Dwi'n gallu gweld yr hwyl mewn sefyllfa a theimlo'r wên fewnol yn dechrau, sy'n cyrraedd fy wyneb yn y pen draw. Gallaf weld hwyl mewn sefyllfaoedd eithaf difrifol - pan fydd eraill yn colli eu pwyll, gallaf deimlo'n hwyliog a chynnig hynny i'r ystafell ac yn fuan bydd pobl yn dechrau ymlacio. Gall hynny ysgafnhau sefyllfaoedd a allai fod yn boenus. Mae'r SDWG yn llawn hiwmor, y math hwnnw o hiwmor. Tra ydych chi'n eistedd yno, efallai y bydd rhywun yn crybwyll sefyllfa drist. Yna bydd rhywun fel David yn cynnig golwg arall ar y mater. Dwi'n sylweddoli bod hynny wedi bod gen i erioed.

Dyma Kim Zabbia yn trafod un o'r strategaethau chwareus mae hi'n ei defnyddio gyda'i mam:

> Fe ges i siwmper yn anrheg Nadolig gan fy mab. Mae'n dweud 'Fe gofiais i' ar y tu blaen, ac 'Anghofiais i. Mae Al wedi'i ddwyn' ar y cefn. Pwy yw Al? Al yw mab Mrs Zheimer, Al Zheimer. Jôc sâl, mi wn, ond mae'n well na chanolbwyntio ar dristwch y sefyllfa.

Nodyn i gloi

Bod yn chwareus yw un o'r ffyrdd gorau o fod yn greadigol wrth gynnal perthynas. Mae pob un ohonom yn adnabod rhywun a all ein helpu i chwerthin am ben rhai o drafferthion bychain bywyd, yn ogystal â rhai o'r rhai mwy, ac rydym yn eu gwerthfawrogi am hynny. Gallwch chi wneud yr un peth ar gyfer pobl sydd â'r cyflwr. Mae'n arwydd o ymddiriedaeth ac empathi os gallwch chi hybu agwedd hwyliog. Dywedodd dyn â dementia wrthyf i:

> Dydw i ddim wedi teimlo mor hapus erioed – y chwerthin sy'n gyfrifol, mae'n fy nghadw i'n ifanc, mae'n well na'r cyffuriau i gyd.

Pennod 16 **Byw yn y foment**

Rhan Un

Roedd Sandy yn isel ei ysbryd erioed yn fy marn i ac roeddwn i'n tybio efallai fod hyn wedi cyfrannu rywsut at ei ddementia. Clywais ef yn siarad â phennaeth yr uned ryw ddiwrnod, gan ystyried, 'Pa boen sy'n darfod?' Dro arall dywedodd wrthyf i, 'Dwi wedi drysu'n lân. Dwi'n dda i ddim. Dwi bron â chrio.' Ceisiais ei gysuro, 'Rydych chi'n ddyn clên ofnadwy, Sandy,' dywedais. 'Tydi bod yn glên ddim yn ddigon,' atebodd. 'Gwell o lawer bod yn glên *yn ogystal* â'r hyn sydd gen ti.'

Y diwrnod canlynol daeth Sandy ataf i fy nghyfarch, gan wenu ac ysgwyd fy llaw. Synhwyrais fod ei hwyliau wedi newid yn llwyr. Roedd yr uned wedi'i hadeiladu o gwmpas cwrt bychan a gardd yn y canol. Cychwynnodd Sandy i lawr y coridor yn sionc, coridor a fyddai yn y pen draw yn ei arwain yn ôl at y fan lle'r oeddwn i'n sefyll. Erbyn iddo ddychwelyd ataf roedd o'n rhedeg, yn sboncio ac yn canu nerth esgyrn ei ben. Galwodd arna i wrth fynd heibio, 'Mae'n bryd i ni weithio. Gweithio a chanu!' Roedd fel pe bai egni a hapusrwydd yn byrlymu ohono.

Pan ddaeth heibio'r ail dro, oedodd wrth fy ymyl am ennyd i ddweud, 'Paid â rhoi'r gorau i fod y tu hwnt i ni, dyna'n union sydd ei angen arnom ni.' Cydiodd yn fy llaw ac aeth y ddau ohonom gyda'n gilydd. Er nad oeddwn yn gwybod yr alaw na'r geiriau, ymunais yn y gân gydag o a'r ddau ohonom ni'n sboncio, yn sgipio ac yn canu'r holl ffordd o gwmpas y sgwâr.

Oedodd eto ar ôl ychydig i ofyn, 'Be 'dan ni'n ei neud yma?' 'Wn i ddim wir,' oedd fy ateb innau. 'Be 'di'r ots?' gofynnais. Atebodd â chwestiwn arall, 'Pam 'dan ni'n gwneud hyn?' Roedd gen i ateb i hynny, 'Am ein bod ni eisiau gwneud!' dywedais, ac roedd hynny'n ddigon i fodloni Sandy. Chwarddodd y ddau ohonom a chofleidio'n gilydd. Gollyngodd fy llaw ac aeth yn ei flaen gan ddawnsio. Parhaodd i gynnal y gweithgaredd egnïol yma am ryw ugain munud arall cyn dychwelyd i gael ei de, a golwg wedi blino'n lân arno.

Roedd hwn yn ddigwyddiad rhyfeddol, nid yn unig oherwydd ei egni a'i hyd o ran amser, ond hefyd gan nad oedd modd ei ragweld. Hyd heddiw, wn i ddim beth a'i hysgogodd. Roedd yn gwbl ddigymell, ac yn tarddu o Sandy ei hun. Am y cyfnod hwnnw roedd hi fel pe bai Sandy wedi ymgolli'n llwyr yn y foment.

Rhaid gofyn, felly, a yw'r rhai sydd â dementia yn meddu ar rywbeth rydym ni i gyd yn ymdrechu i'w gael: y gallu i fyw yn y presennol, heb hiraethu am y gorffennol na dyheu am y dyfodol? Yn sicr, mae ambell un wedi dweud hynny. Dyma eiriau Laura Smith, 'Yn amlach na pheidio, rwy'n byw yn y fan rwyf yn ei gweld ac yn yr amser a elwir yn nawr.' Ac mae John Zeisel yn cynnwys hyn yn ei restr o 'Roddion Alzheimer' (gweler Pennod 2).

Efallai fod hon yn un o'r agweddau ar ddementia y dylid ei hystyried yn beth cadarnhaol? Os felly, oni ddylem ni ymdrechu i feithrin cyfleoedd i bobl ymgolli yn y foment i wneud eu bywydau mor bleserus ac ystyrlon â phosibl? Ac o wneud hynny, oni fyddwn ni'n gwella bywydau pob un sy'n dod i gysylltiad â nhw, gan gynnwys ein bywydau ni'n hunain?

Rhan Dau Lleisiau eraill

Dyma sylwadau John Zeisel, yr awdur a'r ymgyrchydd o America, ynglŷn ag amser:

> Wrth i'r cyflwr ddatblygu, mae'r rhai sy'n byw gyda chlefyd Alzheimer yn tueddu i amgyffred amser yn debycach i bwynt yn hytrach na llinell. Gall rhywun sôn am berthynas sydd wedi hen farw fel pe bai ar fin camu trwy'r drws. Gall merch 60 oed gael ei gweld fel chwaer 30 oed. Mae fel pe bai profiadau'r gorffennol wedi'u plethu â'r presennol a'r dyfodol i greu un amser; yn debyg i'r ffordd y caiff dimensiynau lle ac amser eu cyfuno pan fyddwn ni'n breuddwydio. Mae'r foment bresennol yn cynrychioli pob moment.

Rydym ni eisoes wedi cyfarfod â Laurel Rust ym Mhennod 12. Mae hi'n weithiwr cymdeithasol yn America a dyma sut mae hi'n disgrifio ei pherthynas hi ag Amy:

> Rwyf i ac Amy wedi datblygu agosatrwydd sy'n anodd iawn ei ddisgrifio, agosatrwydd sy'n peri i mi ailystyried cwmnïaeth gan nad yw Amy'n gwybod beth yw fy enw nac wedi gofyn amdano erioed. Rydym yn eistedd ac yn dechrau siarad, waeth lle'r ydym ni na phryd. Mae sgwrsio ag Amy, nad yw'n arddangos unrhyw synnwyr o wirionedd, yn brofiad arbennig, gyda'r ddwy ohonom yn byw yn y presennol yn llwyr. Gallai'r presennol fod yn unrhyw beth rydym ni'n dwy'n dewis ei greu rhyngom.

Dyma Judith Maizels yn disgrifio'r newid yn ei hagwedd ar ôl ymweld â'i mam mewn sefydliad gofal, pan sylweddolodd y posibiliadau roedd hyn yn eu cynnig o ran cynnydd:

> Ar y dechrau, roeddwn yn arfer disgrifio'r daith yn y lifft i'r 'Gymdeithas Hel Atgofion' fel un a oedd yn fy nghludo 'hanner ffordd i uffern', ond rwy'n meddwl erbyn hyn ei fod yn 'hanner ffordd i'r nefoedd' mewn gwirionedd. Wrth i mi esgyn, rwy'n gweddïo'n dawel am oleuni, cariad, ac iachâd i bawb. Wrth i'r drws agor, rwy'n anadlu'n ddwfn ac yn camu i fyd gwahanol. Yma, mae amser yn cael ei fesur mewn ffordd wahanol. Nid yw'n treiglo'n gyflymach nac yn arafach nag yn unrhyw le arall; yn hytrach, mae ganddo ryw natur uwchfydol. Mae'r ffordd rwyf yn amgyffred amser yn newid, gan adlewyrchu'r ffaith fod grym emosiynol pob eiliad yn gryfach o lawer.

Yn y detholiad olaf hwn, mae gofalwr dienw yn myfyrio ar yr hyn a ddysgodd gan ei mam:

> Roeddwn i a Mam yn mynd am dro ac er imi geisio bod yn sylwgar, roedd fy meddwl yn dychwelyd o hyd at fy mhroblemau fy hun. Ro'n i'n meddwl am fy ngwaith, am ryw broblem briodasol oedd gen i, ac ambell benderfyniad ariannol. Yn ddirybudd, dywedodd fy mam, 'Edrycha!' Edrychais ar lwyn o goed, gan weld dim byd. 'Edrycha ar yr aderyn hardd,' dywedodd eto, ond allwn i mo'i weld. O'r diwedd, ar ôl chwilio pob cangen yn ofalus, gwelais yr aderyn.
>
> Parodd hyn i mi ystyried byd fy mam a'm byd i fy hun. Mae hi'n dod o hyd i adar hardd yn y coed drwy'r amser, neu'n arogli blodau ac yn clywed cerddoriaeth yn y pellter. Roeddwn i'n anwybyddu'r rhain i gyd. Mae ei chyflwr, rywsut neu'i gilydd, wedi dod â hi i gysylltiad â natur ac agweddau ysbrydol ei bywyd unwaith eto. Er bod fy ngwybyddiaeth i'n berffaith, dydw i ddim yn gweld dim o'r byd sydd o 'nghwmpas i. Efallai fod ganddi ragor o bethau i'w dysgu i mi.

Nodyn i gloi

Gall y rhai sydd â dementia amgyffred amser mewn ffordd wahanol i ni. Os felly, fe ddylem ni barchu hynny, gan ddysgu ei ddefnyddio er eu budd nhw a'n budd ninnau hefyd. Rwyf wedi ceisio crynhoi neges y bennod hon yn yr *haiku* a ganlyn:

> *This gift I bring to you,*
> *Please handle it carefully:*
> *It is the present.*

Pennod 17 **Cartref oddi cartref**

Rhan Un

Treuliais ddegawd cyntaf fy ngwaith ym maes dementia mewn cartrefi gofal ac rwyf wedi gweithio mewn sawl un arall ers hynny. Teg dweud felly, rwy'n tybio, fy mod i'n siarad o brofiad yma. O ran eu dyluniad, eu cyfleusterau, eu staff, eu harweinyddiaeth a'u hamgylchedd, maen nhw'n amrywio'n fawr. Gan fod pob unigolyn sydd â'r cyflwr yn unigryw hefyd, byddwch yn dechrau deall pa mor anodd yw cynnig sylwadau cyffredinol. Er gwaethaf hynny, mae sawl peth y gallaf eu dweud, yn fy marn i.

Yn gyntaf, rwy'n credu ei bod hi'n anodd i rai symud o'u cartrefi eu hunain ac yn treulio amser hir yn brwydro yn erbyn hynny. Mae'n anochel y bydd rhai ohonyn nhw'n hiraethu am amgylcheddau cartref lle'r oedden nhw'n gallu parhau â'u ffordd gyfarwydd o fyw heb unrhyw ymyrraeth. Mae rhai pobl yn hynod annibynnol a dylid eu hannog i warchod y rhinwedd hwnnw.

Mae'n debyg mai un o'r dosbarth yma o bobl oedd y gŵr a gwynodd fod 'y paneidiau ddim ond hanner llawn' ychydig ar ôl iddo gael ei dderbyn i'r cartref. Dywedodd wrthyf i: 'Ces fy ngyrru yma am wyliau chwarae golff, ond does dim cwrs yma hyd yn oed.' Efallai fod hynny'n arwydd nad oedd yn barod eto i dderbyn ei sefyllfa. Roedd hi'n amlwg ei fod yn gwerthfawrogi'r cyfle i gwyno ychydig wrth rywun nad oedd yn awdurdod. Gwrthododd dyn arall sgwrsio â mi, 'am nad oedd allweddi'r drws gen i'. Roedd yn ymateb yn gryf i fyw mewn uned dan glo.

Nid oes gan rai pobl wrthwynebiad i gael eu rhoi mewn cartref ond maen nhw'n teimlo bod amgylchedd cymunedol yn gymorth i feithrin cyfeillgarwch ac i fwynhau gweithgareddau – rhai hen yn ogystal â rhai newydd. Dydyn nhw ddim yn hiraethu am yr unigrwydd hwnnw a fu'n rhan o fywydau cymaint ohonyn nhw cyn cyrraedd y cartref. Roedd gan un ddynes sylwadau di-ri am ffaeleddau'r dynion ar yr uned, er ei bod hi'n mwynhau eu cwmni. Dywedodd, 'Dwi'n cyd-dynnu â'r holl ddynion yma'n iawn. Ac os oes eisiau gwneud unrhyw beth arnyn nhw, fi fydd yn dweud sut mae gwneud: y ffordd orau i lwyddo bob tro yw cytuno efo fi!'

Yn un o'r cartrefi, bues i'n helpu dynes trwy gofnodi ei meddyliau ar bapur. Yr un ddynes a ddywedodd 'mae fy nghof yn teneuo', dyfyniad sydd eisoes wedi ymddangos ym Mhennod 7. Roedd ei gŵr yn gwerthfawrogi fy ngwaith gyda hi. 'Mae angen siarad arna i hefyd. Tybed a fyddet ti'n gallu gwneud hyn i mi hefyd?' gofynnodd unwaith. Ces sawl sesiwn gydag ef yn dilyn hynny. Byddwn yn ei recordio'n siarad ac yn copïo'r tapiau yn ysgrifenedig nes ymlaen. Soniodd am ei deimladau ynglŷn â chyflwr ei wraig a sut brofiad oedd ei symud hi i'r cartref. Dywedodd fod y sesiynau wedi bod yn ddefnyddiol iawn iddo. Un dydd, mynegodd ei wraig yr hoffai hithau ysgrifennu rhywbeth ar gyfer ei gŵr a bu'r ddau ohonom am hir wedyn yn ceisio cyfleu'r neges ar bapur. Ar ôl i ni orffen, gofynnodd i mi ei roi i'w gŵr y tro nesaf y byddai'n ymweld. Ond ni lwyddais i wneud hynny. Pan welodd y darn papur yn fy llaw, gwrthododd ei ddarllen ac fe'i taflodd i'r bin. Dywedodd nad oedd angen i mi ddangos iddo pa mor sâl oedd ei wraig. Ces fy synnu gan ei ymateb – roeddwn i'n meddwl ei fod wedi uniaethu â'r broses. Efallai i mi ei ddal mewn hwyliau drwg neu fod y stori'n dangos y gall gofid ymsefydlu'n ddwfn mewn perthynas agos. Weithiau mae hyn oherwydd nad yw rhai wedi derbyn y newidiadau yn eu hanwyliaid. Dro arall, bydd y gofid yn tarddu o'r euogrwydd maen nhw'n ei deimlo am fethu gofalu amdanyn nhw eu hunain gartref.

Yn y sefyllfa hon, efallai dylai rhywun geisio cyngor neu gefnogaeth gan aelodau o'r teulu neu gan rai sydd mewn sefyllfaoedd tebyg. Nid wyf am danbrisio pa mor anodd yw dod i arfer pan fydd eraill yn dechrau darparu'r gofal roeddech chi'n gyfrifol amdano, a hynny'n aml dros gyfnod maith.

Bydd rhai aelodau o'r teulu'n cael cysur trwy ymuno â bywyd y cartref, gan gyfathrebu ag eraill sydd â dementia, y staff, y cefnogwyr, yn ogystal â'u perthnasau nhw. Hynny yw, mae'r bobl yma'n ystyried y cartref fel cymdeithas fechan, un sy'n cynnwys cyfleoedd i feithrin cyfeillgarwch a pherthynas, i rannu gweithgareddau ac i gynnig gwasanaethau.

Weithiau, bydd rhai'n dweud nad yw'r staff yn ystyried pwy oedd y bobl yn gynharach yn eu bywydau, ac yn eu gweld fel maen nhw yn y presennol yn unig. Rhaid bod ymgolli mewn tasgau ymarferol yn hawdd iawn, gydag amserlen lawn, ond gall cefnogwr fod o gymorth trwy ddod â lluniau, fideos a straeon i'r cartref. Neu gallen nhw baratoi cyfrol o hanes bywyd y person ar ffurf lluniau a nodiadau hawdd eu darllen o danyn nhw. Gall hyn fod yn hynod werthfawr i atgoffa'r person o'i gefndir, gan gynnig testun sgwrs. Mae hyn yn hollbwysig hefyd pan fydd rhywun yn gorfod treulio sbel mewn ysbyty, gan y bydd y staff yn brysurach yno. Yn aml ni fydd yr un aelod o staff yn gofalu amdano.

Gall y broses o baratoi cyfrol am fywyd rhywun fod yn weithgaredd pleserus hefyd. Dyma ddisgrifiad un person o'r broses hon: 'Rydych chi'n dringo'r goeden deulu ac yn edrych ar yr olygfa oddi yno.'

Rhan Dau Lleisiau eraill

Dyma Rebecca Ley yn canmol y staff yn y cartref lle mae ei thad yn byw, a'u rhinweddau wrth wneud tasgau arferol:

> Gall ofn dynnu'r hwyl o bleserau bychain bywyd – paned o de, darn o gacen, cân dda ar y radio, clecs diddorol – ac mae ambell ofalwr yn dda iawn am adfer y pleserau hynny. Mae hunanfeddiant yn bwysig hefyd. Pan fydd rhywun yn graddol golli rheolaeth ar ei bledren a'i ymysgaroedd, gyda'r holl ddamweiniau ac embaras sy'n dod yn sgil hyn, mae'r gallu i beidio â chynhyrfu yn dderbyniol iawn.
>
> Dwi wedi sylwi bod y gofalwyr gorau yn hyblyg iawn wrth eu gwaith hefyd. Maen nhw'n gallu gwrando ac ymateb i ba bethau pytiog bynnag a ddywed Dad, a chreu sgwrs o fath ohonyn nhw. Maen nhw'n derbyn ei ganmoliaeth yn llawen ac yn cymryd diddordeb yn ei ddatganiadau od.
>
> Hefyd does dim ots ganddyn nhw gael eu cyffwrdd. Dydyn nhw ddim yn ceisio osgoi ei gofleidiau nac yn cilio pan fydd yn estyn llaw i fwytho eu hwynebau. Dydyn nhw ddim yn

> gwarafun iddo'r angen sylfaenol i gyffwrdd â rhywun arall, a thrwy hynny maen nhw'n rhoi urddas iddo.

A dyma ail hanner stori Laura Beck, stori a ddechreuodd yn y bennod sy'n ymwneud ag ofn. Roedd ymddygiad ei thad yn gwneud iddi ymbellhau oddi wrtho a dymunai adael y cartref:

> Es yn ôl i mewn, eistedd wrth ei ymyl a chydio yn ei law wrth iddo ganu. Edrychodd arna i – roeddem ni heb edrych i fyw llygaid ein gilydd ers tro byd. Dechreuais deimlo'n eiddigeddus ohono wrth edrych arno'n dawnsio rhwng dau fyd. Roedd o'n mentro i leoedd na allwn i eu cyrraedd...
>
> Sylweddolais fy mod i'n teimlo'n freintiedig o gael rhannu'r ennyd honno â fy nhad, i fod yn rhan o'i ddawns hamddenol o'r byd hwn; o fod wedi gweld ei gamau olaf ychydig fisoedd yn ôl, a'i glywed yn dweud fy enw am y tro diwethaf bron dair blynedd ynghynt.
>
> O'i wylio, doeddwn i ddim yn gweld rhywun a oedd yn dioddef, ond yn hytrach gwelais negesydd ysbrydoledig. Roedd wedi ymgolli yn y foment – yn chwareus ac yn llawn asbri. Pryd oedd y tro diwethaf i mi fod mor frwdfrydig wrth ddathlu moment?
>
> Felly ymunais yn y canu... a dyna un o'r cysylltiadau cryfaf a mwyaf grymus i mi ei gael gyda fy nhad yn holl hanes ein perthynas â'n gilydd. Y ddau ohonom yn edrych i fyw llygaid ein gilydd am y tro cyntaf ers blynyddoedd. Wedi 'nghyffwrdd, diolchais am y doethineb a gefais ganddo – sef y dylwn i werthfawrogi pob eiliad fel rhodd. A sylweddolais... pe bawn i wedi ildio i fy ofn, byddwn wedi colli'r cwbl.

Rwy'n siŵr nad fi yw'r unig un i weld cysylltiadau rhwng y darn hwn a'r bennod sy'n ymwneud ag ofn, yn ogystal â'r penodau am gyfathrebu dieiriau, bod yn chwareus, a byw yn y foment.

Nodyn i gloi

Gall symud person i gartref fod yn anodd iawn i bawb sy'n rhan o'r broses. Pan fydd rhywun wedi ymgartrefu, bydd angen i ni baratoi ar gyfer newidiadau yn y berthynas ac yn ein ffyrdd ni o gyfrannu. Ond y peth pwysicaf yw ein bod ni'n cynnal ein gofal a'n pryder am ein hanwyliaid. Dyma ferch sy'n meddu ar ddealltwriaeth lwyr o sefyllfa ei thad:

> Mae rhai pobl yn dweud na ddylai fy nhad fynd i'r cartref mor aml i weld fy mam ac y dylai ystyried gweithgareddau eraill. Mae o'n gwneud pethau eraill, ond ymweld â fy mam yw'r hyn mae angen iddo'i wneud.

Pennod 18 **Machlud da**

Rhan Un

Roeddwn i'n eistedd mewn lolfa cartref gofal ryw ddydd, pan glywais ddynes yn canu cân drist yng nghornel yr ystafell. Wrth agosáu, dyma'r geiriau a glywais:

> O, Fyd
> wn i ddim beth i'w wneud
> rwyf eisiau gweld fy machlud
> yn union fel y cafodd ei addo
> rwy'n disgwyl am yr awr
> rwyf eisiau gweld fy machlud yn dda.

Mae llawer o ofidiau yn gysylltiedig â dementia. Mae rhai'n perthyn i'r person. Mae'r bobl o'i gwmpas yn debygol o deimlo rhai. Ac mae'r naill a'r llall yn gallu teimlo rhai.

Gall fod yn anodd adnabod gofidiau person, yn enwedig os yw gallu'r person hwnnw i gyfathrebu yn dirywio. Gall yr un peth fod yn wir pan fydd rhywun â dementia'n teimlo poen corfforol hefyd. Os nad yw'r person yn gallu disgrifio'r boen yn uniongyrchol, boed yn boen corfforol neu'n boen meddyliol, y ffordd orau o'i hadnabod yw ceisio deall mynegiant wyneb ac osgo corfforol unigryw'r person. Mae dysgu gwneud hyn yn gofyn ymdrech galed dros gyfnod hir. Ceir damcaniaeth fod gofidiau emosiynol y rhai sydd â dementia yn tueddu i fod yn rhai cyffredinol yn hytrach na rhai penodol, ac efallai nad oes modd i chi weld beth yn union sydd wrth wraidd y broblem. Yr adegau hynny, yr unig beth allwch chi ei wneud yw bod yno ar eu cyfer a chynnig cymaint o gysur iddyn nhw ag y gallwch. Dyma un o'r sefyllfaoedd anoddaf wrth gefnogi rhywun sydd â dementia.

O ran gofidiau'r cefnogwyr, maen nhw'n ymwneud â'r gorffennol (yr hyn allai fod petaech chi wedi ymddwyn yn wahanol), y presennol (sut i ymdopi â phroblemau wrth iddyn nhw godi), a'r dyfodol (o ran gwireddu cynlluniau yn ogystal ag ansicrwydd).

Er gwaethaf ein tuedd i adael i'r gofidiau yma ein llethu, mae angen i ni ddod o hyd i ffyrdd o'u goresgyn. Os ydym am lwyddo, mae'n allweddol ein bod yn ymdrechu i fyw yn y foment, fel y disgrifir ym Mhennod 16. Gyda lwc, bydd y person yn gallu bod o gymorth i chi wrth wneud hyn. Yn gyntaf, mae angen i chi sylweddoli bod breuddwydio am newid y gorffennol, neu ddyheu am yr hyn allai fod, neu ddychmygu'r sefyllfaoedd gwaethaf posibl, i gyd yn wrthgynhyrchiol. Bydd meddwl fel hyn yn wasgfa fawr arnoch chi a'r person. Os ewch i chwilio am yr agweddau positif, rwy'n bendant y byddwch yn dod o hyd iddyn nhw.

Mae'r hen ddywediad bod rhannu problem yn ei lleddfu yn berthnasol i ofidiau hefyd. O wneud hynny, byddwch yn dod i ddeall bod natur uniongyrchol y person, a'ch empathi a'ch parodrwydd chi i ddysgu, yn gyfuniad da wrth ei datrys. Mae llawer a fanteisiodd ar y cydweithredu hwn wedi sôn am allu'r profiad i'ch aeddfedu.

Wrth i'r person nesáu at ddiwedd ei oes, y disgwyl fyddai i rywun ddechrau teimlo'r golled cyn iddo ddigwydd. Rwyf wedi clywed rhai'n dweud bod cynnydd grymus mewn adnabyddiaeth yn digwydd. I raddau, mae'r holl beth wedi bod yn arwain at hyn. Mae eraill, pa un a ydyn nhw'n grefyddol ai peidio, wedi dweud iddo fod yn brofiad ysbrydol.

Ar ôl y farwolaeth, soniwyd wrthyf i sawl tro fod y teimladau o agosrwydd yn parhau am gyfnod hir wedyn. Yr argraff a gefais yw bod pobl yn teimlo iddyn nhw fod yn rhan o ddigwyddiad dynol o bwys ac iddi fod yn fraint cael bod yn rhan ohono.

Rhan Dau Lleisiau eraill

Mae John Zeisel (gŵr rwyf eisoes wedi'i ddyfynnu yn y penodau sy'n ymwneud â natur dementia a byw yn y foment) yn gwneud sylw pwysig:

> Os yw poen yn anorfod, does dim rhaid dioddef. Mae'r gwragedd a'r gwŷr, y brodyr a'r chwiorydd, y ffrindiau, y plant, yr wyrion a'r wyresau sydd wedi derbyn eu hanwyliaid fel ag y maen nhw, i gyd wedi dysgu rhywbeth i mi; maen nhw'n byw ym mhresennol clefyd Alzheimer, gyda'i holl hiwmor, dwyster, hwyl a llawenydd yn ogystal â phoen.

Jane, Marsha, Carl a Debbie sy'n gyfrifol am y dyfyniadau a ganlyn. Maen nhw i gyd yn gefnogwyr:

> Un fendith yw 'mod i eisoes wedi prosesu llawer o'r galar. Erbyn hyn, rwy'n derbyn fy ngŵr fel mae o heddiw. Rwyf wedi dysgu 'mynd gyda'i lif' o pan fydd hynny'n bosibl. Mae hyn yn rhodd werthfawr. Mae wedi cymryd sawl blwyddyn i mi gyrraedd y pwynt yma, ond rwyf wedi cael fy rhyddhau rhag teimlo'r angen i geisio rheoli popeth. Yn aml, mae'n teimlo fel pe bawn i wedi ysgaru fy ngŵr ac wedi priodi rhywun tebyg iawn iddo. Mae'n edrych yr un fath, ond mae'n ymateb yn wahanol iawn i'r rhan fwyaf o'n bywyd blaenorol ni erbyn hyn.

*

> Mewn ambell ffordd, misoedd olaf fy mam oedd y rhai gorau yn ein perthynas ni. Roedd hi'n berson a oedd yn gofyn llawer gan bobl, ond erbyn y diwedd daeth hi'n fwy agored nag erioed. Wnes i erioed ddychmygu y gallem ni ddod mor agos.

*

> Roedd fy mherthynas i a Mam yn anodd. Roeddwn yn teimlo bod ei marwolaeth yn ddiddiwedd a'i bodolaeth yn ddibwrpas. Weithiau, byddwn yn teimlo'i bod hi, unwaith eto, yn gwrthod gwneud yr hyn roedd pawb eisiau iddi ei wneud. Fe fyddwn i'n meddwl 'Pam na wnaiff hi farw?' Ond ar ôl iddi fynd, sylweddolais fod y cyfnod hir hwnnw wedi helpu i iacháu'r ddau ohonom. Roeddwn i'n gallu gafael yn ei llaw a chanu iddi a darllen salmau, ac rwy'n credu ei bod hi wedi teimlo bod rhywun yn ei charu hi hefyd. Roedd y cyfnod hwnnw gyda hi yn rhodd, er mor anodd oedd o, ac rwy'n berson gwahanol oherwydd hynny.

*

> Nid yw'r holl newidiadau a ddaw yn sgil dementia yn rhai negyddol. Newidiodd fy mherthynas i a Nain– ond oni bai am ddementia, wn i ddim a fyddem wedi gallu bod mor agos na rhannu cymaint o achlysuron arbennig.

Yn olaf dyma Helen Finch; rydym wedi darllen ei geiriau hi sawl tro yn y llyfr hwn:

> Pan ymwelais â fy mam am y tro olaf – roedd hi'n anhwylus ac o dan dipyn o straen – eisteddai'r ddwy ohonom yn ei hystafell, a hithau'n rhoi ei braich amdanaf ac yn cydio'n dynn, gan ailadrodd 'Dadi, Dadi, Dadi!'. Nid oedd hynny'n beth drwg, yn fy marn i, ond yn hytrach roedd yn brofiad anhygoel. O ystyried ei gorffennol, dwi'n meddwl ei bod hi'n ceisio dangos ei bod hi'n credu y gallwn i gynnig rhywbeth iddi, a 'mod i'n bwysig iddi. Roedd hynny'n fwy grymus, ac yn golygu mwy, na phe bai wedi defnyddio fy enw iawn.

Nodyn i gloi

Mae galar yn rhan hanfodol o'r cyflwr hwn ac mae'n rhan annatod o fywyd ac o farwolaeth. Mae ein dulliau o ymdopi ag o yn amrywio o berson i berson ond gallwn ddatblygu strategaethau i'n helpu ni ac eraill. Weithiau, o edrych yn ôl, byddwn yn gweld y daith yn wahanol. Roedd hynny'n wir o brofiad Betsy Peterson:

> Ni fyddwn i erioed wedi credu y gallai hyn fod yn wir, ond o bryd i'w gilydd rwy'n hiraethu am y blynyddoedd hynny o ofalu. Roedd fel byw am gyfnod yn agos at graidd bywyd.

Pennod 19 **Paratoi**

Ni fyddai'r rhan fwyaf ohonom, o ddewis, yn dewis ystyried y posibilrwydd o gael dementia, nac yn teimlo'n gyfforddus o wneud hynny. Mae perygl y gallai gyffroi emosiynau anodd eu trin. Efallai y byddwn yn teimlo nad oes diben i ni achosi gwewyr i ni'n hunain drwy ddyfalu fel hyn. Er hynny, mae'n ddigon posibl ein bod wedi gwneud hynny ryw dro, yn enwedig os oes gennym berthynas sydd â'r cyflwr, gan ofyn: ai fi fydd nesaf? Wrth gwrs, yn ôl yr ystadegau, bydd sawl un ohonom yn datblygu dementia ac oherwydd hynny rwy'n credu ei bod yn bwysig i ni ddefnyddio'r bennod olaf i ystyried y posibilrwydd yma.

Bydd sawl un ohonom, yn gyfranwyr ac yn ddarllenwyr, yn cael eu taro gan saeth 'Yr Heliwr Dall' – delwedd a ddefnyddiwyd gan Gynhadledd Ryngwladol Clefyd Alzheimer Helsinki 1997. Mae'r ddelwedd hon yn pwysleisio natur hap a damwain y cyflwr.

Felly, beth am dybio y byddwch chi'n un ohonyn nhw, a dechrau ystyried beth allech chi ei wneud i baratoi ar ei gyfer? Un awgrym fyddai cael cyngor cyfreithiol a pharatoi gyda chyfarwyddebau. Gall y cymdeithasau Alzheimer amrywiol fod o gymorth i wneud hyn. Ond beth arall allech chi ei wneud o ran paratoi?

Rwy'n eich argymell i anghofio pob mater arall am awr a cheisio ateb y cwestiynau sydd ar ddiwedd y bennod.

Yna, ystyriwch eich atebion. Os na fyddech chi mewn sefyllfa i ddweud y pethau hyn wrth rywun, a fyddai'r wybodaeth rydych eisoes wedi'i rhoi iddo yn ddigonol? A fyddech chi am iddo wybod unrhyw beth arall? Gallwch wneud rhagor o restrau, sy'n ymwneud â cherddoriaeth, lliwiau, dillad, arogleuon, ffilmiau, rhaglenni teledu... Mae'n bywydau ni'n gymhleth. Unigolion ydym ni oll ac mae'n amhosibl i ni gwmpasu blaenoriaethau pawb mewn cyfres o gwestiynau.

Efallai eich bod chi'n credu bod rhestr o'r fath yn rhy syml ac y byddai'n well gennych dreulio rhagor o amser i baratoi rhestr fanylach. Dyma dri awgrym ar gyfer paratoi'n fanylach:

- Gwnewch dâp 30 munud o hyd sy'n dweud yr hyn yr hoffech chi i bobl wybod amdanoch. Gallwch gynnwys yr atebion i'r cwestiynau yn ogystal â nifer fawr o bethau eraill.
- Gwnewch dâp arall o 30 munud o gerddoriaeth sy'n golygu llawer i chi, un y byddech chi'n fodlon gwrando arno'n aml dros gyfnod o fisoedd neu flynyddoedd.
- Gwnewch albwm o ffotograffau o'r bobl a'r lleoedd yn eich bywyd sy'n bwysig i chi, un y gellir ei ddefnyddio i brocio'r cof pe byddai angen.

Gallai'r gweithgareddau hyn fod o werth i unrhyw un i'ch atgoffa chi am arwyddocâd canolbwyntio ar yr unigolyn. Gall fod o gymorth i gloriannu'n pryderon a phwyso a mesur ein bywydau.

Bydd y rhai ohonom sy'n cael ein taro gan y saeth yn cychwyn ar daith sy'n arwain at ddyfodol dirgel. Oni ddylem ni ystyried y camau bychain hyn i baratoi ar gyfer ein hanghenion? Byddai'r Hen Eifftwyr yn gosod bwyd a diod ac eitemau o bwys ym meddau'r meirw. Dyna'r paratoadau roedden nhw'n eu gwneud ar ran y rhai a oedd ar fin cychwyn ar daith hir.

STRATEGAETH GYNLLUNIO

- Pe baech yn colli gweddill eich eiddo i gyd mewn tân, pa ddau neu dri beth bach fyddech chi'n eu hachub, a pham mai'r rheini yw'r rhai pwysicaf i chi?
- Pe byddech chi'n cael diwrnod gwael, beth fyddai'r un peth a fyddai'n siŵr o'ch cysuro?
- Rydych ar fin cychwyn taith na fyddwch o reidrwydd yn dychwelyd ohoni. Pwy yw'r bobl agosaf atoch? Ysgrifennwch gerdyn post i bob un ohonyn nhw gan esbonio pam maen nhw'n bwysig i chi.
- Rhestrwch y cysuron materol sy'n golygu fwyaf i chi.
- Pa weithgaredd sy'n eich helpu i ddechrau'r diwrnod yn gadarnhaol?
- Disgrifiwch ddau neu dri darlun neu lun yr hoffech eu cael gerllaw.
- Rhestrwch ddau neu dri darn o lenyddiaeth rydych chi'n credu na fyddwch chi byth yn blino ar eu darllen.
- Lluniwch fwydlen sy'n cynnwys eich hoff fwydydd a diodydd.
- Disgrifiwch eich ofnau neu bethau nad ydych yn eu hoffi.
- Rhestrwch rai o'r lleoedd sy'n bwysig i chi a disgrifiwch nhw.

ÔL-NODYN: TRAFOD Y CWESTIYNAU ANODD

Anaml y caiff awduron gyfle i roi cynnig eto ar lyfr ar ôl iddo gael ei gyhoeddi, i gywiro ambell beth neu i roi chwarae teg i destun a gafodd ei drin ychydig yn rhy lac y tro cyntaf. Rwy'n lwcus iawn o gael y cyfle hwn ac rwyf wedi penderfynu defnyddio'r adran hon i ateb cwestiynau gan ddarllenwyr, cwestiynau sy'n ymwneud â materion dadleuol a/neu sydd angen rhagor o eglurhad.

Ar destun 'Bod yn bositif', rydych chi wedi dod allan ohoni'n hawdd drwy beidio â thrafod yr ochr negyddol. Mae gofalwyr teuluol a chefnogwyr eraill yn gorfod wynebu problemau anodd yn ddyddiol, rhai allai ymddangos yn amhosibl, gan beri i'r agwedd bositif fod yn un amhosibl i'w chynnal. Pam na wnewch chi gydnabod hynny?

Mae hyn yn mynd at graidd yr her fwyaf a wynebais wrth ysgrifennu'r llyfr hwn ac wrth i mi amddiffyn fy agwedd rŵan, gan edrych yn ôl. Y peth cyntaf rwyf am ei nodi yw mai llyfr sy'n trafod agweddau positif yn benodol yw hwn. Roedd yn anochel felly y byddai'r agweddau hynny'n cael blaenoriaeth. Roeddwn i'n ymwybodol wrth ysgrifennu y byddai'r pwyslais yma'n cythruddo sawl un o'm cynulleidfa ac rwy'n parhau i fod yn ymwybodol o hynny. Efallai y bydd hyd yn oed yn gwneud iddyn nhw daflu'r llyfr o'r neilltu!

Yn ail, rydym wedi hen arfer â darllen am ddementia yn nhermau ei ffaeleddau, gymaint nes y bydd unrhyw lyfr sy'n ymgeisio i newid hynny'n mynd yn groes. Ond os ydym am weld cynnydd mewn unrhyw faes, mae'n rhaid cicio yn erbyn y tresi ychydig, gan wrthod daliadau'r presennol er mwyn creu rhai newydd, a dyna fy mwriad i yma.

Hefyd, gan fod yr agwedd bositif wedi cael ei hesgeuluso o gymharu â'r dulliau sy'n ymwneud yn fwy â chyffuriau neu ymddygiad – rhai sydd wedi bod yn aflwyddiannus ar y cyfan – rydym wedi gorfod dechrau o sylfaen isel iawn. Hynny yw, mae ein dealltwriaeth yn wannach nag y dylai fod ac mae gennym lawer iawn o waith i'w wneud. Dim ond cyfraniad bychan yw'r llyfr hwn tuag at fater a ddylai fod o bwys mawr, ac a allai wneud cryn wahaniaeth mewn cyfnod byr pe bai'n cael yr adnoddau a'r ysgogiad cywir.

Felly, nid ydym yn gwybod beth fydd yn bosibl yn y dyfodol ac rwy'n parhau i fod yn optimistaidd. Felly hefyd Sally Magnusson, awdur *Where memories go: why dementia changes everything* (Two Roads, 2014), sy'n trafod gofalu am ei mam. Dyma ddetholiad o erthygl a ysgrifennodd ar gyfer y *Radio Times*:

> Daeth 'It's a Lovely Day Tomorrow' gan Irving Berlin i fod yn anthem i'n teulu ni, oherwydd gyda'r afiechyd hwn gall yfory fod yn ddiwrnod braf hyd yn oed os oedd heddiw'n ofnadwy. Roeddem yn dal i gael cip ar agweddau ar ei phersonoliaeth hyfryd ac roedd modd eu meithrin. Byddai'n dweud yn aml, 'Dyma'r diwrnod gorau a ges i erioed' ar ôl trip i lan y môr neu ar ôl hel mwyar duon yn yr haul.
>
> Dyma wers bwysig a ddysgais ynglŷn â dementia – os gallwn ni helpu pobl i fyw yn hytrach nag i farw, os gallwn ofalu'n dyner amdanyn nhw o fewn teulu neu gymdeithas gyhyd ag

> sy'n bosibl, ac os parchwn ni nhw fel pobl yn hytrach na'u trin yn israddol, gallen nhw ffynnu am gyfnod hirach nag y byddem yn ei gredu.

Mae'r holl fater o ddiagnosis yn hollbwysig, ond eto mae'n ymddangos fel eich bod chi'n ceisio'i osgoi. Ydi mynd i'r afael â'r mater yn eich gwneud chi'n ofnus?

Nid yn ofnus, ond yn wyliadwrus. Yn wreiddiol, roedd gen i bennod a oedd yn ymwneud â diagnosis. Ar ôl i rywun ddarllen y drafft, awgrymwyd nad oeddwn yn gwneud cyfiawnder â'r pwnc, gan holi a oeddwn i'n deall digon i drin y mater. O ganlyniad, penderfynais hepgor y bennod a'i defnyddio i ffurfio rhannau o Bennod 4 sy'n ymwneud ag ymwybyddiaeth. Mae hyn yn gyfaddawd anfoddhaol. Rwy'n dal i fod yn amharod i ddoethinebu: nid meddyg na seicolegydd mohonof. Yr unig wybodaeth sydd gen i yw'r hyn y mae pobl sydd â dementia a'u cefnogwyr wedi'i ddweud wrthyf i, yr hyn rwyf wedi'i ddarllen mewn cyfnodolion meddygol, a'm syniadau i fy hun. Gyda'r amodau hyn, rwy'n mentro neidio i drobwll o safbwyntiau gwrthgyferbyniol.

Mae dwy brif agwedd ar ddiagnosis sy'n fy mhoeni i: ei gywirdeb yn gyntaf, a'i effeithiau yn ail. Mae gen i fy marn bersonol am y cyntaf, er nad yw'n rhan o'r maes mae'r llyfr hwn yn ei drafod. Ond, wrth gwrs, os na allwn ddibynnu ar ddiagnosis cywir, gall ymwybyddiaeth o hynny effeithio ar ymatebion y rhai sy'n ei gael a'u cefnogwyr hefyd. Pan gyhoeddodd Tom Kitwood ei lyfr arloesol, *Dementia Reconsidered* (Open University Press, 1997), soniodd ei bod hi'n amhosibl cynnig 'safon aur' ar gyfer dementia. Hynny yw, nid oes ffin bendant rhwng y rhai sydd â dementia a'r rhai sydd hebddo – mae'n amwys. Ysgrifennodd:

> Does dim modd i glefyd Alzheimer neu ddementia fasgwlar gyrraedd y meini prawf allweddol ar gyfer afiechyd clasurol: sef nodweddion patholegol penodol yn bresennol ym mhob achos sy'n arddangos y symptomau, ac yn absennol yn yr achosion sydd hebddyn nhw.

Gyda chyflwr nad yw ond yn cynnig ateb pendant pan fydd hi'n rhy hwyr (hynny yw, yn y post-mortem), mae gofyn i ni droedio'n ofalus iawn.

Ond hyd yn oed pe byddai holl anawsterau'r diagnosis yn cael eu datrys, byddem yn parhau i wynebu problem foesol, sef a ddylid dweud wrth berson beth yw ei brognosis. Ar hyn o bryd, mae'r holl bolisïau cyhoeddus yn unfryd: rhaid i ni gynyddu'r ganran o bobl sy'n cael diagnosis o ddementia a rhaid iddyn nhw gael y diagnosis yn gynharach. Ac yn y Deyrnas Unedig, un llais unig sy'n gwrthwynebu – llais y seicolegydd Mike Bender. Mae'n dweud ein bod ni'n gwneud tro gwael â phobl trwy roi diagnosis iddyn nhw heb i ni ddarparu'r adnoddau sydd eu hangen arnyn nhw i ddygymod â'r newyddion. Heb wasanaethau cefnogi, gallai pobl blymio i bydew anobaith. Gallai hyn roi rhagor o straen ar y gwasanaeth iechyd o'i gymharu â'u gadael yn ddiarwybod. Rydym eisoes yn gwybod nad yw clinigwyr yn wych am gyflwyno'u barn, a bod gadael teuluoedd ar dir neb o ddryswch yn gallu arwain at iselder yn ogystal â rhagor o'r problemau cof a'u harweiniodd at y meddyg yn y lle cyntaf. Er bod Mike Bender yn cyfaddef bod rhai sefydliadau yn llwyddo i helpu pobl yn sgil diagnosis, mae'n dweud bod llawer iawn yn parhau i gynnig y nesaf peth i ddim.

Mae effeithiau'r holl broblemau sy'n gysylltiedig â diagnosis yn berthnasol i'r llyfr hwn, mae hynny'n sicr, ond gan fod cymaint o amrywiaeth i'w gael o ran profiadau'r rhai sydd â dementia a phrofiadau eu cefnogwyr, mae hi bron yn amhosibl cynnig cyngor ynglŷn â sut i ymdopi â'r garreg filltir fawr hon.

Yr unig beth allaf i ei awgrymu yw, gan nad oes ffin bendant rhwng bod â dementia a bod hebddo, a chan fod agweddau fel anghofrwydd yn gyffredin, na ddylem ni rannu'r cyflwr yn gyfnodau 'cyn' ac 'ar ôl' dementia. Mae'r ymchwilwyr yn hoff o wneud hyn. Yn hytrach, dylem ymdrechu i roi cymaint o brofiadau cadarnhaol i bobl ag y gallwn, fel mae'r llyfr hwn yn eu disgrifio. Pwy a ŵyr, efallai y bydd hyn yn arafu datblygiad rhai o'r nodweddion sy'n llenwi'r gwerslyfrau confensiynol; yn sicr, byddai'n arwain at boblogaeth hapusach na'r un sydd dan y drefn bresennol.

Wrth gwrs, ni fyddai'r newid hwn yn ein gwerthoedd yn gorwedd yn esmwyth â'n pryderon moesegol presennol. Rhaid labelu a chwilio am driniaethau i'r rhai rydym yn eu hynysu fel hyn, yn hytrach na'u cofleidio ac addasu arferion cymdeithas ar gyfer cymdeithas sy'n newid. Ond o ystyried tuedd pethau ar hyn o bryd, efallai mai'r rhai sydd â dementia fydd y 'norm' rhyw ddydd a bydd yn rhaid i ni ddod i arfer â nhw. Dyma Sally Magnusson, yn graff yn ôl ei harfer, yn crynhoi natur y broblem hon yn ei llyfr *Where Memories Go*:

> Mae dementia yn dal cyllell wrth galon moesoldeb y Gorllewin... Mae'n herio ein hunanfoddhad cymdeithasol a'n blaenoriaethau ariannol. Mae'n ein cymell i ystyried a oes gennym unrhyw hawl o gwbl i alw ein hunain yn gymdeithas waraidd.

Rydych yn honni y gallwn ni greu dementia mewn eraill – oes modd i chi ymhelaethu ar eich amddiffyniad o'r honiad yma?

Gan mai dyma neges bwysicaf a phellgyrhaeddol y llyfr hwn, rwyf am fod yn gwbl eglur yma. Wrth gwrs, nid wy'n dweud mai'r rhai sydd heb ddementia sy'n achosi'r dementia mewn eraill yn y lle cyntaf. Byddai dweud hynny'n beth gwirion. Nid oes neb yn gwybod pam mae dementia'n bodoli, ond o ystyried ei fod yn bodoli ar sawl ffurf wahanol, a nifer o achosion gwahanol gan bob ffurf, mae'n bosibl y gallai ein hymddygiad ni tuag at ein gilydd, a'r cysylltiadau rydym yn eu meithrin a'u chwalu, fod yn ffactor neu'n ffactorau.

Ni allaf fentro sylwadau am hynny, ond gallaf ddweud yn eithaf hyderus fod gan gefnogwyr rôl wrth helpu pobl neu eu rhwystro pan fydd rhai agweddau penodol ar y cyflwr wedi dod i'r golwg. Efallai'u bod ar brydiau yn gwneud hynny'n ddiarwybod. Wrth gwrs, gallai hyn fod yn wir am gyflyrau eraill hefyd, fel canser neu sgitsoffrenia neu iselder. Ond rwy'n credu bod gan gefnogaeth ran arbennig i'w chwarae, rhan unigryw efallai, pan fydd yn ymwneud â dementia, gan fod iddo elfennau corfforol yn ogystal â chymdeithasol, a hynny i raddau anarferol; gymaint fel bod modd ysgrifennu llyfr cyfan i drafod agweddau'r olaf o'r ddau, fel rwyf wedi'i wneud.

Os bydd yr un sydd â'r cyflwr yn ddryslyd, yn methu cofio pethau, yn ailadrodd straeon a chwestiynau, ac yn cael trafferth cyflawni tasgau ymarferol, gall ein hymateb ni i'r nodweddion hyn gael effaith fawr ar eu hyder a'u hunan-werth. Mae'r effaith yn uniongyrchol a gall bara am gyfnodau hir. Byddai triniaeth o'r fath yn niweidio unrhyw un ac mae'r rhai sydd â dementia eisoes yn cael eu herio gan ganlyniadau eu cyflwr, yn teimlo'n ddryslyd ac yn annigonol, a gall ein hymddygiad ni rwbio halen i'r briw. Weithiau byddwn yn ymdrechu i fod yn garedig, ond yn hytrach yn llwyddo i fod yn greulon. Weithiau ni fyddwn yn llwyddo i reoli ein dicter a gall hynny arwain at ganlyniadau trychinebus.

Gall yr achosion o gam-drin o bryd i'w gilydd mewn sefyllfaoedd gofal proffesiynol, y rhai sy'n cael sylw gan y cyfryngau, ddigwydd oherwydd nad yw staff yn gwybod am yr agwedd hon ar eu swyddogaeth. Gallai diffyg cysylltiad emosiynol ei waethygu hefyd. Yn anffodus, bydd rhai staff yn manteisio ar eu grym o fewn y berthynas â'u cleientiaid ac yn cael boddhad o achosi poen iddyn nhw.

Wrth drafod cefnogwyr teuluol rydym yn mentro i faes hynod gymhleth. Bydd gan rai berthynas wael â'r person ers tro, un a allai ddirywio'n gyflym yn sgil dementia. Bydd eraill yn rhygnu ymlaen, yn cael eu cynnal gan lwyddiannau bychain beunyddiol. Bydd rhai'n deall eu bod yn fwy amyneddgar na'r disgwyl a'u bod yn llwyddo i gynnal cysondeb yn eu hymatebion doed a ddelo, weithiau gan feithrin mwy o agosatrwydd.

Mae'n amhosibl cynnig canllaw ar gyfer pob sefyllfa wrth iddi godi ond gallaf nodi, mor eglur ag y gallaf, yr egwyddorion cyffredinol a ddisgwylir gan y cefnogwr, hyd yn oed os ydi hyn yn ymddangos ar brydiau fel gofyn am ddoniau goruwchddynol.

Mae'n rhaid i ni wneud rhagor o ymchwil ac arbrofion i'r strategaethau sydd fwyaf defnyddiol a pha rai sydd fwyaf niweidiol. Rydym yn nes at ddechrau'r broses na'i therfyn. Ond nid yw'r rhai sy'n gyfrifol am yr arian yn gwerthfawrogi hynny, mae'n well ganddyn nhw wario'r adnoddau prin ar geisio chwilio am ryw rith addewid o 'iachâd' llwyr, yn hytrach nag ymchwilio i'r hyn a ddisgrifiodd Tom Kitwood fel 'rhinweddau dynol ar lefel uwch'.

Unwaith eto, dyma ddyfyniadau gan gefnogwr. Tri o rai cryno, gan yr hynod huawdl Sally Magnusson unwaith eto:

> Ein hunig obaith rhag cael ein trechu gan y clefyd hwn yw ceisio dysgu anelu gyda llawenydd bwriadol tuag at ryw fath gwahanol o farwolaeth.

*

> Dyna beth gwerthfawr yw meddwl a gaiff ei fynegi. Rydw i a'm chwiorydd yn hen lawiau ar eni meddyliau i'r byd, fel petaem yn fydwragedd.

*

> Er ein bod yn eich colli, rydym yn dod o hyd i chi hefyd... Rydym yn eich adnabod, a hynny efallai'n well nag erioed, er nad ydych chi'n ein hadnabod ni gystal.

Rydych chi wedi neilltuo pennod gyfan i Greadigrwydd, onid ydych chi'n canolbwyntio ar eich diddordebau eich hun braidd?

Fe gytunwch, rwy'n siŵr, y byddai gosod unrhyw air positif wrth ymyl y gair 'dementia' wedi bod yn gyfeiliornus rai blynyddoedd yn ôl. Ond mae pethau'n newid ac nid yw trafod 'creadigrwydd' a 'dementia' yn yr un gwynt mor od bellach.

Dyma enghraifft syml iawn o fy mhrofiadau fy hun ac mae'n ymwneud ag iaith. Roeddwn i'n teithio ar drên yn ddiweddar, pan glywais fachgen ifanc yn y sedd o'm blaen yn ymateb i rywun yn cerdded trwy'r cerbyd gyda thusw o gennin Pedr. 'Dydyn nhw ddim yn drewi pan fydd 'na fêl arnyn nhw,' meddai. Ychydig ddyddiau'n gynharach roeddwn yn cerdded trwy lolfa mewn cartref gofal ar brynhawn braf pan glywais ddynes yn galw arna i, 'Os na fyddi di'n ofalus mi wnei di fyw dy oes yng ngwlad yr heulwen streipiog.'

Mae'r ddau ddatganiad yn rhannu ambell nodwedd. Yn gyntaf, nid yw'r un ohonyn nhw'n defnyddio nodweddion rhesymegol iaith. Yn ail, mae'r ddau yn ebychiadau yn hytrach nag yn ddatganiadau ffeithiol, a dylid eu hystyried yn ymatebion llawn dychymyg i brofiadau. Mae nodweddion creadigrwydd cymharol yn amlwg ynddyn nhw.

Wrth amlygu'r tebygrwydd rhwng plentyn ifanc a hen ddynes â dementia yn defnyddio iaith, nid wyf am gael fy nghyhuddo o anwybyddu'r gwahaniaethau rhyngddyn nhw. Wrth reswm, mae gan yr hen ddynes werth oes o brofiadau wedi'u storio yn ei chof a'i chorff. Ond mae'r ddau'n rhannu un nodwedd: mae ymateb y bachgen yn blentynnaidd oherwydd ei fod yn blentyn; ac mae ymateb y ddynes yn blentynnaidd am ei bod hi wedi adennill y rhinwedd o allu meddwl fel plentyn. Mae'n debyg y byddwn wrth ein bodd gyda dyfeisgarwch y plentyn, ond yn ddirmygus o'r ddynes neu yn ei hanwybyddu'n llwyr am ei bod 'yn ei byd bach ei hun'.

A dyma enghraifft o ddefnyddio iaith yn greadigol mewn modd mwy soffistigedig o lawer. Roeddwn i wrthi'n cynnal sesiwn ysgrifennu barddoniaeth gyda grŵp mewn cartref gofal. Roedd gan bawb gopi o ffotograff, ac roedden nhw wrthi'n datgan eu hymateb iddo er mwyn i mi eu cofnodi. Ar ganol y gweithgaredd dechreuodd un ddynes, nad oedd yn cyfrannu'n aml, siarad yn eglur ac yn uchel a'i llygaid ar gau fel pe bai'n canolbwyntio'n arw. Pan sylweddolais nad y llun oedd yn ysgogi'r geiriau, gafaelais yn fy llyfr nodiadau a'u cofnodi. Roedd gweddill y grŵp yn ddistaw erbyn hynny. Dyma ddywedodd Joan Davies:

> Eich teimladau ydynt, ynte?
> Nid ydynt yn heintus
> byddent fel afon
> gyda'i throbyllau
> yn eich tynnu chi iddi
> ac mae'r peth yn eich llusgo i lawr
> lawr, ac i lawr, ac i lawr,
> nes y byddech chi'n gallu boddi
> allwch chi ddim achub eich hunan
> ddim heb rywbeth amdanoch
> rhywbeth sy'n sownd i rywbeth
> rhaid i ni barhau
> neu...

'Rydych chi newydd adrodd cerdd,' dywedais. 'Do wir,' atebodd hithau. 'Hoffech chi roi teitl iddi?' gofynnais wedyn. 'Llif Dwfn,' atebodd.

Un o'r pethau cyntaf mae'n rhaid i ni ei ddeall am gyfathrebu yw bod dementia yn aml yn amharu ar y gallu i resymu, ond gall hefyd ddatgelu a rhyddhau gallu i farddoni. Nesaf, mae angen i ni addasu ein disgwyliadau a dechrau dathlu'r math yma o lwyddiannau yn hytrach na'u difrïo. Mewn geiriau eraill, nid fel barn Samuel Johnson am ferched yn pregethu: 'Nid yw'n dda; ond rydych yn synnu ei fod yn cael ei wneud o gwbl.'

Dyma stori'r addysgwr Syr Ken Robinson am ferch ifanc yn arlunio. 'Beth yw hwn?' gofynnodd yr athro. 'Llun o Dduw,' atebodd y ferch. 'Ond does neb yn gwybod sut olwg sydd ar Dduw,' dywedodd yr athro. Ateb y ferch oedd: 'Mi fyddan nhw ar ôl i mi orffen!'

Gall pobl sydd â dementia ddangos pethau inni nad ydym erioed wedi'u gweld o'r blaen, a'n dysgu i edrych ar bethau o'r newydd.

*

Ar dudalen 102, un paragraff bychan yn unig a neilltuais i drafod cerddoriaeth ac rwyf am fanteisio ar y cyfle yma i unioni'r fantol. Mae sawl sefydliad yn y Deyrnas Unedig sy'n ceisio dod â cherddoriaeth at bobl mewn sefydliadau ac maen nhw'n gwneud gwaith campus. Ond rwy'n awyddus i ddenu'ch sylw at un o'r rhai diweddaraf, sef Playlist for Life a sefydlwyd gan Sally Magnusson. Pan sylweddolodd hi fod cerddoriaeth yn cael effaith sylweddol ar hwyl, ymwybyddiaeth a gwybyddiaeth ei mam, ynghyd â'i hymdeimlad o'i hunaniaeth, sefydlodd Sally elusen i hyrwyddo'r technegau roedd hi'n eu defnyddio. Gwnaeth gasgliad o hoff gerddoriaeth ei mam, a'i roi ar iPod fel bod modd iddi wrando arno unrhyw adeg o'r dydd a'r nos. Gall y broses o baratoi'r rhaglen gyda'r person roi llawer o foddhad i chi, ac mae gwybod bod y cyngerdd personol hwn ar gael iddo drwy'r adeg yn cynnig cysur i'r cefnogwr. Mae'n gysyniad hollol berson-ganolog. Ewch i: www.playlistforlife.org.uk am ragor o wybodaeth. Mae sefydliad yn America hefyd sydd ag amcanion tebyg: www.musicandmemory.org.

Dyma stori o lyfr Sally sy'n dangos sut all cerddoriaeth ddeffro ochr chwareus person; mae hi wedi bod yn canu gyda'i mam yn y cartref gofal:

> Y noson honno, rydych yn llwyddo i fod yn ddigywilydd eto. Efallai mai'r gerddoriaeth sydd wedi adfywio hynny hefyd. Pan ddaw Maggie i mewn ar gyfer y shifft nos, aelod hyfryd newydd o'r tîm a'ch rowlio chi i fy mreichiau i er mwyn newid eich pad, rydych chi'n gwneud ystumiau ac yn sibrwd rhywbeth. Rwy'n gwyro ymlaen i'ch clywed. Rydych yn gwenu'n gyfrwys ac yn ddrygionus. Rydych yn sibrwd, 'Pryd ga i ei chicio hi yn ei hwyneb?'

Nid oes rhaid i'r gerddoriaeth fod yn gyfarwydd i ennyn ymateb. Mae Oliver Sacks, yn ei lyfr *Musicophilia* (2007) yn honni:

> Nid yw'r canfyddiad o gerddoriaeth a'r emosiynau mae'n eu cyffroi yn dibynnu'n llwyr ar y cof a does dim rhaid i gerddoriaeth fod yn gyfarwydd er mwyn cael effaith emosiynol ar rywun. Rwyf wedi gweld cleifion â dementia datblygedig yn wylo neu'n cael ias wrth wrando ar gerddoriaeth nad ydyn nhw erioed wedi'i chlywed o'r blaen. Rwy'n credu eu bod

> nhw'n gallu teimlo'r un ystod o deimladau â'r gweddill ohonom ac nad yw dementia, erbyn heddiw o leiaf, yn rhwystr i ddyfnder emosiynol. Ar ôl i chi weld ymatebion o'r fath, fe wyddoch fod hunaniaeth yn dal yno, hyd yn oed os mai cerddoriaeth, a cherddoriaeth yn unig, all alw arno.

Pam nad ydych chi wedi cynnwys rhagor o gerddi yn y llyfr?

Mae gen i lawer o gydymdeimlad â'r cwestiwn hwn. Roeddwn i o'r farn y byddai'n well gan y rhan fwyaf o bobl ddarllen rhyddiaith. Mae'r rhai sy'n darllen barddoniaeth yn brin yn ein cymdeithas ni. Ond os bydd pobl yn fodlon gwneud yr ymdrech, gall barddoniaeth fynegi pethau mewn ffordd gryfach a mwy cofiadwy na rhyddiaith. Felly, rwyf wedi cynnwys cerdd fel rhan o'r ateb i'r cwestiwn diwethaf, ac rwyf am gloi gyda dwy arall.

Dylwn egluro sut ddaeth y cerddi dementia i fod. Canlyniad cyfnodau hir o wrando ydyn nhw, pan fyddaf yn ysgrifennu geiriau'r person neu yn eu recordio ar dâp i'w cofnodi. Rwy'n eu golygu rywfaint ond heb ychwanegu dim. Rwy'n trefnu'r gerdd ar dudalen a'i rhannu â'r person. Os bydd y gerdd yn cael ei rhannu ag eraill, naill ai drwy ei hadrodd neu mewn cyhoeddiad, ar hysbysfwrdd neu mewn cylchgrawn neu lyfr, ni fydd hynny ond yn digwydd gyda chaniatâd ysgrifenedig a geiriol y person.

Daw'r gerdd gyntaf o gyfrol o gerddi Swydd Gaergrawnt, o'r enw *The Elephant in the Room*. Cafodd yr ail gerdd ei chyfansoddi gan gefnogwr a'i hanfon i gystadleuaeth yr Alzheimer's Society Lloegr yn 2013. Gofynnais am ei chaniatâd i'w hargraffu. Rwy'n credu bod y ddwy'n crynhoi agweddau ar neges y llyfr: gwirionedd a nerth yn y gyntaf, a sensitifrwydd a dathliad yn yr ail. Rwy'n falch iawn o gael eu cynnwys:

MAE MODD GWNEUD

Mae hyn yn nefoedd
am ei fod yn helpu llawer o bobl.
Caiff ei wneud wyneb yn wyneb
fel y dylai fod.
Rwy'n teimlo'n lwcus iawn
am fod gen i rywbeth fel barddoniaeth.

Mae gen i atgofion, rhai da a rhai drwg.
Dyw'r rhan fwyaf o'm ffrindiau'n dweud dim –
Rwy'n tybio eu bod nhw'n ofnus:
Mae gen i ffrind yn Llundain
a dim ond unwaith mae wedi ffonio mewn tair blynedd.

Rydym ni newydd ddychwelyd o Madeira.
Fy ngwraig sylwodd, cyn dweud wrtha i.
Dywedais 'Mae clefyd Alzheimer arna i'.
Roeddwn i wedi gweld yr arwyddion hefyd.
Roedd o yno gyda'i wraig.
Hithau'n dioddef. Dros y tridiau olaf
buom yn aros gyda'n gilydd,
buom yn uniaethu â'n gilydd.

Nid pawb all ddygymod ag o.
Maen nhw'n meddwl, sut allan nhw barhau?
Ond dydw i ddim am gael pethau felly'n faich –
Dwi eisiau byw!

Dwi ddim yn bwriadu cael gwared arna i fy hun,
wnes i erioed ystyried y peth.

Rydw i o ddifri:
os byddwch yn ddewr
mae modd gwneud!

PETER VAN SPYK

HUD TRAGWYDDOL

Bues i'n rhyfeddu at y cacennau,
a ymddangosodd o'r tu ôl i dy gefn,
a'r ffrogiau parti'n a flodeuai'n bêr
fel blodau sidan o dy lewys rhyfeddol di.

Wrth giât yr ysgol, dy ddwylo cyfrin
yn consurio gwaith cartref, pres cinio,
wyau ar gyfer y gwersi coginio,
a llythyr lledrith i'm cuddio
rhag chwaraeon bnawn Mercher.

Diflannai tor calon a thor cariad fel tarth y nos
yn dy gwmni di, gwasgarai
pyliau o chwerthin fel cwningod o dy het, a nythai
colomen heddwch yn dy wallt.

Ond doedd hynny'n ddim o gymharu â'r hyn wyt ti nawr,
yn consurio dealltwriaeth o'r drysni,
yn rhannu'r cardiau gorau o bac sy'n diflannu,
yn hwn, dy berfformiad mwyaf hudolus erioed.

DI SMITH

TARDDIAD Y DYFYNIADAU

Rhag ofn eich bod yn awyddus i ymchwilio ymhellach a hefyd i gydnabod yr holl awduron a'r ffynonellau a ddefnyddiwyd.

Pennod 1

Enw llyfr Richard Cheston a Michael Bender yw *Understanding Dementia: The Man with the Worried Eyes*; cafodd ei gyhoeddi gan Jessica Kingsley Publishers yn 1999. Cyhoeddwyd llyfr Peter Whitehouse (a ysgrifennwyd ar y cyd â Danny George) gan St Martin's Press yn 2008, a'i enw yw *The Myth of Alzheimer's: What you aren't being told about today's most dreaded diagnosis*.

Daw dyfyniad Richard Taylor o'i lyfr *Alzheimer's from the Inside out*, a gyhoeddwyd yn 2007 gan Health Professions Press.

Daw dyfyniad Christine Bryden o'i llyfr *Who will I be when I die?* a gyhoeddwyd yn 1997 gan HarperCollins, bellach ar gael gan Jessica Kingsley Publishers.

Daw dyfyniad Bob Fay o'i erthygl o'r enw 'What a very unfriendly word 'dementia' is' a gyhoeddwyd yng nghylchlythyr yr Alzheimer's Society ym mis Rhagfyr 2003.

Cyhoeddwyd llyfr Joanne Koenig Coste, *Learning to Speak Alzheimer's* gan Houghton Mifflin Harcourt yn 2004.

Pennod 2

Daw'r dyfyniad gan Oliver Sacks o ddarllediad radio a chaiff ei ddyfynnu gyda'i ganiatâd.

Daw rhestr Tom Kitwood o enghreifftiau o 'seicoleg gymdeithasol falaen' o'i lyfr *Dementia Reconsidered: the person comes first* a gyhoeddwyd gan Open University Press yn 1997.

Joanne Koenig Coste: gweler Pennod 1.

Cyhoeddwyd *I'm Still Here*, llyfr John Zeisel, gan Penguin yn UDA yn 2009. Cafodd ei gyhoeddi yn y Deyrnas Unedig gan Piatkus.

Richard Taylor: gweler Pennod 1.

Pennod 3

Daw'r dyfyniad gan Deborah Everett o'i llyfr *Forget-me-not: The Spiritual Care of People with Alzheimer's*, a gyhoeddwyd yn 1996 gan Inkwell Press, Edmonton, Canada.

Daw stori Laura Beck o lyfr G. Allen Power, *Dementia Beyond Drugs: Changing the Culture of Care* a gyhoeddwyd gan Health Professions Press.

Mae sawl argraffiad gwahanol o *The Prophet* ar gael.

Pennod 4

Mae manylion llyfr Kim Zabbia yn nodiadau Pennod 15.

Cyhoeddwyd *Scar Tissue*, llyfr Michael Ignatieff, gan Vintage yn 1994.

Mae cyfraniad James McKillop yn rhan o bennod o'r enw 'Did Research Alter Anything' mewn llyfr a olygwyd gan Heather Wilkinson, *The Perspectives of People with Dementia: Research Methods and Motivations*, a gyhoeddwyd gan Jessica Kingsley Publishers yn 2002.

Cyhoeddwyd erthygl Rebecca Ley, 'Doing it for Dad', yn atodiad 'Family' o bapur newydd *The Guardian,* 8 Medi 2012.

Pennod 5

Daw dyfyniad Danuta Lipinska o erthygl yn *Pathways*, cylchlythyr a gynhyrchwyd gan Dementia Services Development, Prifysgol Stirling.

Daw dyfyniad Cary Smith Henderson o *Partial View: An Alzheimer's Journal* a gyhoeddwyd gan Southern University Press, Dallas, yn 1998.

Daw dyfyniad Frena Gray Davidson o *Alzheimer's: A practical guide for carers to help you through the day* a gyhoeddwyd gan Piatkus yn 1995.

Pennod 6

Daw'r dyfyniadau dienw o fy ngwaith i fy hun.

Pennod 7

Daw dyfyniad Will Eaves o erthygl yn adran 'Family' *The Guardian*, 'How my mother changed her mind'.

Ymddangosodd dyfyniad Claire Craig mewn erthygl o'r enw 'Sensing Memories' yng nghylchlythyr *Pathways*, a gynhyrchwyd gan Dementia Services Development Centre, Prifysgol Stirling yn 2001.

Daw dyfyniad HJ o *Memories in the Making: A Program of Creative Arts Expression for Alzheimer's Patients*, a gyhoeddwyd gan Orange County, California Alzheimer's Association yn 1993.

Daw stori Joan Woodward o gylchlythyr yr Alzheimer's Society, rhifyn mis Ebrill 2001.

Daw erthygl Stephen Davies o gylchlythyr yr Alzheimer's Society, rhifyn mis Gorffennaf 1999.

Pennod 8

Looking into your voice yw enw llyfr Cathie Borrie, a gyhoeddwyd yn 2010 gan Nightwing Press, Vancouver, Canada.

Enw llyfr Larry Rose yw *Show Me The Way To Go Home*; cafodd ei gyhoeddi gan Elder Books, California, yn 1996.

Daw detholiad Michael Verde o'r llyfr *Love, Loss and Laughter: Seeing Alzheimer's Differently*, gan Cathy Greenblat, a gyhoeddwyd yn 2012 gan Lyons Press, Guildford, Connecticut.

Pennod 9

Daw'r darn gan Raymond Tallis o'r erthygl 'Manucaption' a ymddangosodd yn *The Reader 9* yn 2001.

Detholiad o'r ddrama *46 Nursing Homes* yw'r dyfyniad gan Rosemary Silcock, a ddarlledwyd ar BBC Radio 4 yn 1999.

Daw'r dyfyniadau gan Claire Craig a Heather Hill o ohebiaeth bersonol.

Pennod 10

Daw dyfyniad Beth Shirley Brough o'i llyfr *Alzheimer's With Love* a gyhoeddwyd gan Southern Cross Press, Awstralia, yn 1998.

Detholiad o'r erthygl 'Book Club' yn adran adolygiadau papur newydd *The Guardian*, 9 Mehefin 2012, yw darn Michael Frayn.

Cyhoeddwyd llyfr Jane Crisp, *Keeping in Touch with someone who has Alzheimer's,* gan Ausmed, Awstralia yn 2000.

Pennod 11

Daw cerdd Sylvia Roberts o'r gyfrol *In The Pink*, a olygwyd gen i, a'i chyhoeddi gan Courtyard Centre for the Arts, Henffordd, yn 2011.

Cyhoeddwyd llyfr Robert Davis, *My Journey into Alzheimer's Disease,* gan Tyndale House, Illinois yn 1989.

Cafodd llyfr Susan Miller, *The Story of My Father,* ei gyhoeddi gan Alfred A. Knopf yn Efrog Newydd yn 2003.

Christine Bryden: gweler Pennod 1.

Cyfraniad i'r antholeg *Voices of Alzheimer's* yw'r darn gan Beverley Murphy (gweler Pennod 18).

Cyhoeddwyd llyfr Deborah Shouse, *Love in the Land of Dementia: Finding Hope in the Caregiver's Journey*, gan The Creativity Press, Kansas, yn 2006.

Pennod 12

Mae llythyr Sue West sy'n trafod teclyn ffidlan i'w weld yng nghylchgrawn yr Alzheimer's Society, *Living With Dementia*, rhifyn mis Awst 2009.

Daw stori Laurel Rust o 'Another Part of the Country', a oedd yn gyfraniad at *Women and Aging: an anthology by women* a olygwyd gan Jo Alexander *et al*., a'i gyhoeddi gan Calyx Books yn 1986.

Daw'r dyfyniad gan Claire Craig o *Celebrating the Person: A Practical Approach to Arts Activities* a gyhoeddwyd gan Dementia Services Development Centre, Prifysgol Stirling, yn 2001.

Gellir cael 'matiau siarad' gan Brifysgol Stirling, www.talkingmats.com.

Pennod 13

Frena Gray Davidson: gweler Pennod 5.

Daw'r detholiad o'r erthygl 'Precious experience beyond words' gan Rosemary Clarke, *The Journal of Dementia Care*, Cyfrol 12, Rhif 3, 2004.

Pennod 14

Daw sylwadau Agnes Houston o drafodaeth â Kate Allan a minnau a gyhoeddwyd yn *The Journal of Dementia Care*, yn 2009 (Cyfrol 17, Rhif 5) gyda'r teitl 'The Licence to be Free: Changing the way we see Dementia'.

Cary Smith Henderson: gweler Pennod 5.

Daw'r dyfyniad gan Heather Hill o *Invitation to the Dance*, a gyhoeddwyd gan Dementia Services Development Centre, Prifysgol Stirling.

Daw dyfyniad Oliver Sacks o erthygl yn *The New York Times*.

Mae cerddi Ian McQueen i'w gweld yn fy nghyfrol, *Dementia Diary* a gyhoeddwyd gan Hawker Publications.

Pennod 15

Cafodd llyfr Elizabeth Cohen, *The Family on Beartown Road,* ei gyhoeddi gan Random House yn 2004.

Richard Taylor: gweler Pennod 4.

Agnes Houston: gweler Pennod 14.

Cyhoeddwyd llyfr Kim Zabbia, *Painted Diaries*, gan Fairview Press, Minneapolis, UDA yn 1996.

Pennod 16

I'm Still Here yw enw llyfr John Zeisel; gweler Pennod 2

Laurel Rust ac Amy: gweler Pennod 12.

Daw cyfraniad Judith Maizel o *Time for Dementia*, a gafodd ei olygu gan Gilliard a Marshall a'i gyhoeddi gan Hawker Publications yn 2010.

Daw'r dyfyniad dienw o gyfrol Bell a Troxel, *The Best Friends Approach to Alzheimer's Care*, a gyhoeddwyd gan Health Communications Press.

Pennod 17

Daw'r dyfyniad cyntaf o'r erthygl 'Doing it for Dad' o adran 'Society' papur newydd *The Guardian*, 22 Medi 2012.

Gweler Pennod 3 am fanylion yr ail ddyfyniad.

Pennod 18

Daw'r dyfyniad cyntaf o'r erthygl 'Hearing the cry "I'm still here" in the midst of grief and loss' gan John Zeisel, a gyhoeddwyd yn *The Journal of Dementia Care*, Cyfrol 18, Rhif 2 yn 2010.

Daw pob un ac eithrio dau o'r dyfyniadau eraill o *Voices of Alzheimer's* a olygwyd gan Betsy Peterson a'i gyhoeddi yn 2004 gan Da Capo Press. Daw dyfyniad Debbie Booth o *Tangles and Starbursts*, a olygwyd gan Bailey a Darling a'i gyhoeddi gan Alzheimer's Disease Society yn 2001.

Pennod 19

Mae'r darn hwn yn seiliedig ar erthygl gen i a Kate Allan a gyhoeddwyd yn *Elderly Care*, Cyfrol 11, Rhif 1 yn 1999.

Ôl-nodyn

Christine Bryden: gweler Pennod 1.

Daw'r pytiau o farddoniaeth o fy nghyfrolau *You Are Words*, *Openings* a *Dementia Diary*, oll wedi'u cyhoeddi gan Hawker Publications.

Daw llun y clawr o lyfr Cathy Greenblat, *Love, Loss and Laughter: Seeing Alzheimer's Differently*, a gyhoeddwyd gan Lyons Press, Connecticut.

RHAGOR O WYBODAETH

Mae'r rhan fwyaf o lyfrau sy'n trafod dementia wedi'u hysgrifennu gan arbenigwyr ar gyfer arbenigwyr. Maen nhw'n llawn o eiriau meddygol a seicolegol, ac anaml y bydd ganddyn nhw agwedd sy'n benodol yn bositif. Ond dyma ddwy gyfrol gyffredinol, a allai fod o gymorth neu eich ysbrydoli:

Still Here: a Breakthrough Approach to Understanding Someone Living with Alzheimer's gan John Zeisel, Piatkus: Llundain

Love, Loss and Laughter: Seeing Alzheimer's Differently gan Cathy Greenblat, Lyons Press: Connecticut

Mae DVD ar gael hefyd, sy'n brydferth ac yn gadarnhaol:

Love is listening a gynhyrchwyd gan Memory Bridge, Chicago. Mae rhagor o fanylion ar www.memorybridge.org

Mae llyfrau eraill hefyd sy'n ymwneud ag agweddau penodol y penodau gwahanol, neu rai rwyf wedi cyfeirio atyn nhw yn y testun:

Cynghori (Pennod 4)

Person-Centred Counselling for People with Dementia gan Danuta Lipinska (Jessica Kingsley Publishers 2009)

Cyffwrdd (Pennod 12)

Comforting Touch in Dementia and End of Life Care gan Barbara Goldschmidt a Niamh van Meines (Jessica Kingsley Publishers 2011)

Creadigrwydd (Pennod 14)

Creativity and Communication in Persons with Dementia gan Claire Craig a minnau (Jessica Kingsley Publishers 2012)

Glaw Siocled: 100 o syniadau creadigol ar gyfer gweithgareddau mewn gofal dementia gan Sara Zoutewelle-Morris (Graffeg 2019)

Llyfrau Pictures to share, sy'n cynnwys *Hen Wlad fy Nhadau* – manylion ar www.picturestoshare.co.uk

Meithrin natur chwareus (Pennod 15)

Playfulness and Dementia, gennyf i (Jessica Kingsley Publishers 2013)

Byw yn y foment (Pennod 16)

Time for Dementia, golygwyd gan Gilliard a Marshall (Hawker 2010)